KB171651

잇스토리 영상화 기획 소설

한수정 작가

매일 글을 씁니다.
글을 통해 위로를 전하고,
독자들과 마음을 나누고 싶습니다.

슬픔이나 아픔을 갖게 한 기억이 삭제되거나, 기억으로 인한 슬픔, 공포, 불안 등의 감정이 삭제된다면, 잃어버린 행복을 찾을 수 있지 않을까 하는 생각으로 이 글을 쓰게 되었습니다.

이 세상에 아픔이나 슬픔을 경험하지 않은 사람은 없을 것입니다. 그것을 극복하는 나름의 방법이 있는 사람도 있지만, 그렇지 못한 사람은 고통 속에 살기도 합니다. 초이스 심리상담센터 최규식 원장은 일리미네잇 시술을 통해 내담자의 감정이나 기억을 삭제해주고 아픔을 치유해 주지만, 결국 행복을 찾는 건 각자의 몫이라고 합니다.

이 글을 통해 행복은 거창한 것이 아니라, 결국 각자가 정의하고 찾아가기 나름이라는 메시지를 전하고 싶습니다.

초이스 심리상담센터

"기억을 지우겠습니까, 감정을 지우겠습니까?"

(본 소설은 영상화를 위해 기획 및 발행된 도서입니다.)

창작공간 잇스토리

작품 내 인물과 사건은 허구를 바탕으로 한 것이며, 어떠한 사실과도 무관합니다. 또한, 소설 속의 심리상담 및 의학적인 요소도 실제와는 무관합니다. 소설로서 이해하고 가볍게 넘기며 읽어주시기를 부탁드립니다. 감사합니다.

<차 례>

1. 초이스 심리상담센터

수지가 종종걸음으로 선릉역 1번 출구를 빠져나갔다. 눈 뜨자마자 대충 세수만 하고 뛰어나왔는데도 시간이 촉박했다. 지하철로 한 시간 넘게 걸리는 거리는 평소보다 한 시간이나 일찍 출근해야 하는 월요일 회의 날에는 좀 버거웠다. 고층 건물을 몇 개 지나 오른쪽 골목으로 들어서자마자 오르막길이 나왔다. 가쁘게 몰아내쉬는 숨이 수지의 입 주위에 하얀 증기를 만들어냈다. 비탈진 길을 오르자마자 오른쪽에 보이는 건물 1층에 스타벅스가 있었다. 온몸을 감싼 추위에 따뜻한 커피 생각이 간절했지만, 스타벅스를 빠르게 지나쳤다. 커피를 포기하지 않으면 회의에 늦고 말 것이다. 찰나에 느낀 커피 향으로 위안 삼으며 좁은 골목으로 뛰어들어갔다.

50미터쯤 되는 골목 양쪽으로 수지 키만 한 담벼락이 있었는데, 덩굴장미에 덮여 있었다. 빨간 장미가 피어있을 때도 그렇지 않을 때도 협소한 골목을 화려하게 꾸며주는 느낌이었다. 수지는 그 덩굴장미 때문에 골목에 들어설 때마다 세상과 동떨어진 듯한 기분이 들었다. 인적이 드문 울창한 숲속에 들어섰을 때 느낄만한 낯설고도 설레는 기분이랄까.

골목 끝 10층짜리 건물 앞에 도착해서야 안심한 수지가 잠시 멈춰 서서 호흡을 가다듬었다. 건물은 화려하지도 초라하지도 않았다. 건물 전 층의 벽면과 바닥이 대리석 재질의 하얀 타일로 된 것, 정면으로 보이는 벽면은 통창으로 되었다는 것은 좀 '유니크' 했지만, 골목에 들어섰을 때 느낀 기대를 충족시킬 만큼은 아니었다.

1층에는 '벗, 꽃, 나무'라는 카페가 있었다. 카페 이름으로는 어울리지 않는 '벗, 꽃, 나무'는 카페 주인인 최규식 원장이 좋아하는 것들을 모아서 붙인 이름이라고 했다. 고층 건물 사이 가로 폭이 좁은 골목 끝에 있어서 사람을 끌기에 위치적으로는 불리했지만, 그래서 북적거리지 않고 한적했다. 덕분에 단골손님이 꽤 있었다. 복잡한 선릉역에 숨겨놓은 은밀한 아지트 같은 느낌으로 근처에서 일하는 직장인이나 주민이 주로 찾았다.

건물 오른쪽에 건물 출입문이 있었고, 가운데로 카페 출입문이 있었다. 카페 출입문 왼쪽으로는 건물 2층 높이만큼 키가 큰 벚꽃 나무 한 그루, 그보다 조금 키가 작은 은행나무 한 그루가 있었다. 두 그루의 나무 때문에 창가 자리는 인기였다. 벚꽃이 한창일 때나 은행 나뭇잎이 노랗게 물들 때쯤에는 창가 자리 예약 경쟁이 치열했다. 가로 폭은 좁지만, 세로로는 꽤 깊어 카페 내부는 150평 정도 되었다. 한쪽 벽면에는 갤러리처럼 그림이 걸려있었고, 그 앞에는 길쭉한 소파 세 개가 연이어 놓여 있었다. 다른 한쪽 벽면은 전체가 책장이었고, 그 안에 빼곡하게 책이 꽂혀 있었다. 카페 곳곳에 꽃병이 놓여 있었고, 꽃병에 꽂힌 꽃은 한 번도 시든 걸 본 적이 없었다. 손님들은 조화인가? 하고 만져봤다가 생화라는 걸 알고는 깜짝 놀라곤 했다. 커피 향에 꽃향기가 더해져 저절로 향기테라피가 되었다. 차를 마시며 수다를 떠는 사람, 소파에 앉아 책을 읽는 사람, 멍하게 앉아 바람에 흩날리는 벚꽃잎을 보는 사람, 벽 앞에 서서 그림을 보거나 책을 고르는 사람까지, 이곳에 있는 동안 사람들은 잠시나마 여유를 갖는 모습이었다.

최근 몇 년 사이에 이 건물에 있는 초이스 심리상담센터가 일리미네잇(Eliminate)이라는 시술로 이름을 알리면서, 같은 건물에 위치한 카페도 함께 유명해졌다. 좁은 골목에 인파가 몰려 이제는 '벚, 꽃, 나무' 카페도 초이스 심리상담센터처럼 예약제로만 운영되고 있다. 단골손님들에게는 여간 미안한 게 아니었지만, 어쩔 수 없는 일이었다.

수지가 핸드폰을 꺼내 시간을 확인했다. 여덟 시 이십 분, 카페는 영업 시작 전, 초이스 심리상담센터 주간 회의 시작 십 분 전이었다. 수지는 지난 토요일, 퇴근 전에 미리 회의 준비해놓기를 잘했다고 생각하며 계단으로 걸어 올라갔다. 어렵게 뺀 살이 다시 찔까 봐 될 수 있으면 많이 움직이려는 수지다. 신경외과와 약국이 있는 2층을 지나 3층으로 올라갔다. 3층부터 5층은 초이스 심리상담센터였고, 6층부터 10층까지는 각 층에 2세대씩 입주해서 살고 있었다. 3층에는 로비, 초기 상담실, 회의실이 있었고, 4층에는 심리상담이 이뤄지는 상담실, 원장실이 있었고, 5층에는 일리미네잇이 이뤄지는 수술실, 메타버스 최면 치료실, 그리고 입원실이 있었다.

"안녕하세요, 원장님."

수지가 3층 회의실 문을 열고 들어가며 최규식 원장에게 인사를 건넸다.

"수지 씨, 굿모닝."

최 원장이 수지를 보며 답했다. 늘 그렇듯 무표정에 가까운 얼굴이었다.

"좀 더 환하게 입꼬리를 올리고, 눈을 찡긋해 보세요. 이렇게."

수지가 활짝 웃는 표정을 지어 보였다. 내담자나 직

원들 사이에 농담처럼 '최규식 원장 로봇설'이 돌았다. 최 원장은 40대 후반이라는 나이가 무색하게 얼굴에 눈에 띄는 주름이 없었다. 염색을 안 한다고 하는데도 흰머리가 없었다. 한 마디로 그는 동안이었다. 그를 이십 대로 보는 내담자도 있었다. 최강 동안 최 원장은 주로 무표정한 얼굴이었고, 말투까지 무뚝뚝했다. 그 때문에 최 원장을 잘 모르는 사람들에게 차갑거나 냉정하다는 오해를 받곤 했다. 자신의 노력으로 타인의 아픔이 치유될 때 행복을 느낀다는 그가 얼마나 마음이 따뜻하고 이타적인지 알면 놀라지 않을 사람은 없을 것이다. 수지가 초이스 심리상담센터에서 일하게 된 것도 최 원장 때문이었다.

2년 전 일리미네잇 시술을 받고 상처받은 마음이 치유된 수지는 행복의 정의를 새롭게 정립하도록 해준 최 원장에게 감사했고, 감동했다. 자신이 표현할 수 있는 단어가 '감사' 내지는 '감동'밖에 없다는 게 아쉬울 만큼 수지가 느낀 감정은 깊고 따뜻한 것이었다. 그 온기를 전하는 일에 함께하고 싶었고 몇 개월간의 준비 끝에 초이스 심리상담센터에서 일하게 되었다. 아직은 데스크에서 접수 및 안내를 담당하고 있지만, 언젠가는 상담을 통해 상처받은 사람들에게 행복을 되찾아 주고 싶다는 소망을 품고 열심히 심리상담 관련 공부를 하고 있다.

4년 전 미국에서 최초로 시행된 일리미네잇은 현재 미국과 유럽 몇 개국, 그리고 아시아에서는 우리나라, 이곳 초이스 심리상담센터에서 유일하게 진행되고 있다. 일리미네잇은 Eliminate, 단어가 가진 의미 그대로 감정이나 기억을 지우는 시술이다. 3년 전 최규식 원장이 국내에 일리미네잇을 론칭한 후 기억이나 감정을 지워 상담이나 약물로 치유되지 않는 깊은 아픔을 가진 사람들을 치유해왔다. 다수의 사람은 이 마법 같은 시술에 대해 고질적인 마음의 병을 고칠 수 있는 혁신적인 시술이라고 했다.

일리미네잇을 비판하는 의견도 많았다. 감정을 지우기 위해 편도체 일부를 제거하는 수술은 19세기 말에 유행했던 전두엽 제거술을 연상시킨다면서 지금까지 수술 후 부작용이 없다고는 하지만 언제 치명적인 부작용이 나타날지 모른다고 했다. 최면으로 기억을 지우는 시술에 대해서는 원하는 기억만 골라서 지운다는 게 현실성이 없다고, 초이스 심리상담센터는 심리상담 기관이 아니라 이상한 종교집단일 것이라고 비판했다. 효율성이나 신속성이 강조되는 현대사회의 문제를 고스란히 반영한 시술이라고 비판한 사람도 있었다. 인위적으로 감정이나 기억을 지우는 건 윤리적이지 않다는 것이다. 선릉역 1번 출구 앞에서 일리미네잇을 반대하는 집회가 열린 적도 있다.

수지가 이런 비판적인 여론을 걱정하자 최 원장은 원래 사람은 익숙하지 않은 것에 호의적이지 않다고, 불안은 인간의 본성 아니냐고 했다. 방송 출연이나 언론 인터뷰 요청에 응해 일리미네잇에 대해 공개적으로 설명하면 무작정 비판하고 반대하는 사람이 줄어들 텐데, 최 원장은 굳이 그럴 생각이 없어 보였다. 원래 그런 것에 연연하는 사람이 아니었다.

일리미네잇은 이런저런 잡음 속에서도 그 효과가 입증되었고, 후기를 통해 입소문이 나기 시작했다. 최소 6개월 이상 상담받은 내담자가 일리미네잇 추천 대상자였지만, 성격이 급하거나 상담 의지가 약한 내담자는 일리미네잇부터 받게 해달라고 떼를 썼다. 행패에 가까운 고집을 부리거나 큰 금액을 제시해도, 초이스 심리상담센터에서 시술 대상자로 최종 선정하지 않는 한 일리미네잇을 받는 건 불가능했다. 이에 불쾌해진 내담자가 상담 종료 전에 상담을 포기하고 환불을 요구하는 일도 몇 번이나 있었다. 어느 정도 상담을 통한 치료 효과를 보기 시작하지 않은 내담자의 감정이나 기억을 삭제하면 역효과나 부작용이 날 수 있었기에 어쩔 수 없는 일이었다. 일리미네잇은 상담이나 약물치료 과정으로도 아픔이 치유되지 않는 사람들을 위한 마지막 치료 수단이었다.

세상에는 기억이나 감정을 지워서라도 행복을 찾고 싶은 사람이 많았다. 예약이 폭주했지만, 상담은 1년에 최대 이백 명, 일리미네잇은 매달 한 명씩, 상반기에 여섯 명, 하반기에 여섯 명으로 1년에 열두 명만 진행했다. 모든 내담자가 치유 받을 수 있도록, 최고의 효과를 내겠다는 목표로 정해진 제한이었다. 일리미네잇이 필요하다고 판단되는데 여건상 비용을 감당할 수 없는 사람을 위해 1년에 두 명을 일리미네잇 무료 대상자로 선정했다. 언젠가 수지가 최 원장에게 원장님 경제 사정은 괜찮은 거냐고 물었던 적이 있다. 진지한 수지의 질문에 최 원장은 한참을 웃었다. 최 원장이 소리 내서 웃는 걸 처음 본 날이었다.

"수지 씨, 지금 제 돈 걱정 해주시는 겁니까? 저 건물주입니다. 이 건물뿐 아니라, 저쪽 건물도……"

건물주라고 해도 이렇게 운영해서는 남기기는커녕 적자일 것 같은데, 상담사, 의료진을 포함한 50명 넘는 직원들의 월급이 밀린 적 없이 잘 나오고 있는 걸 보면 적당히 굴러가기는 하는 모양이었다.

회의 시작 5분 전이 되자 직원들이 속속 회의실에 도착해 자리를 잡았다. 오늘은 한 해의 마지막 주 월요일로, 하반기에 일리미네잇 시술받은 내담자에 대한 최종 브리핑을 하는 날이었다.

"안녕하십니까. 박일우 실장입니다. 오늘은 7월부터 12월까지 진행된 일리미네잇 결과 및 시술 후 경과보고를 하겠습니다."

회의실 앞쪽 벽면을 가득 채운 하얀 스크린에 차례대로 내담자의 이름이 띄워졌다. 하반기에 일리미네잇을 받은 여섯 명 모두 부작용 없이 경과가 좋다는 보고였다. 이십 분 동안 이어진 브리핑이 끝나자 최 원장의 박수를 시작으로 전 직원의 박수가 이어졌다. 올해도 무사히 내담자의 아픔을 치유해 준 초이스 심리상담센터 임직원을 격려하고 응원하는 박수였다. 박수가 잦아들 때쯤, 박 실장이 최 원장에게 집단상담 일정을 물었다.

"3년마다 시술받은 내담자를 모두 모아 집단 상담하신다고요. 서른여섯 명 모두가 행복을 찾았는지 궁금합니다."

"저도요."

"저도 궁금해요. 행복 후기 듣고 싶어요."

박 실장의 말에 직원들이 거들었다.

"날짜를 정할까요?"

박 실장의 물음에 최 원장이 답했다.

"생각이 바뀌었습니다."

직원들은 예상외의 답에 놀랐지만 별다른 대꾸 없이 최 원장의 설명을 기다렸다.

"모두가 행복을 찾았을 겁니다. 아직 찾지 못했다고 해도, 결국에는 스스로 찾을 거라고 믿고 있습니다. 상담 종료 후에 이 건물을 나서는 순간부터 행복은 내담자 각자의 몫입니다."

"각자의 몫이라고요?"

박 실장이 되물었다.

"네. 우리가 하는 일은 아픔을 치유해 주는 것입니다. 내담자의 행복을 확인하거나 재촉하고 싶지 않습니다. 언제든 다시 저를 찾아오면 도울 것입니다. 하지만 제가 먼저 그들을 찾지는 않을 것입니다."

회의가 끝나자 직원들이 영업 준비를 위해 각자의 위치로 갔다. 수지가 시간을 확인하자, 영업 시작까지 삼십 분 정도 여유가 있었다. 수지가 최 원장에게 쪼르르 달려갔다.

"원장님은 행복하세요?"

"갑자기 왜 그런 걸 묻는 거죠?"

수지가 상담 후기를 띄운 핸드폰 화면을 최 원장의 눈앞에 내밀었다.

"이것 좀 보세요. 후기 읽어보면 최 원장님과 상담할 때 감정, 특히 행복을 직접적으로 언급해서 좋았다는 이야기가 있어요. 내담자가 행복이라는 단어를 입 밖으로 내뱉으면서 자기 안의 행복을 인지하도록 하시는데, 정작 원장님의 행복에는 관심 두지 않는 것 같아서요."

행복은 만족스럽거나 기쁠 때 자연스럽게 느껴지는 감정이다. 감정이라는 게 원래 그렇다. 사람이나 상황에 따라 그 강도나 종류가 천차만별이기는 하지만 자연스럽게 느낀다. 상실을 경험했을 땐 슬프고, 예상하지 못한 상황이 벌어질 때는 당황스럽다. 아무도 없이 혼자라는 생각이 들 때는 외로움을 느낀다. 감정은 미묘하고 세밀하지만, 막상 입 밖으로 내뱉으려면 생각나는 단어가 몇 가지 안 된다. 살면서 자연스럽게 느끼는 감정을 누군가에게 직접적으로 표현하는 사람은 생각보다 많지 않다. 실제로 여러 심리상담센터나 정신건강의학과에서는 자신의 감정을 잘 표현할 수 있어야 한다며 세분된 감정 언어를 가르치기도 한다.

행복이라는 감정도 마찬가지다. 행복을 말하는 책

이나 노래 가사는 있지만, 일상에서 말로 내뱉는 건 어색한 사람이 많다. 최 원장은 상담 과정에서 감정을 표현하는 단어를 직접적으로 사용하도록 유도했다. 그래야 모르는 새 지나치는 행복을 인식해서 붙잡고, 마음에 담아둔 힘든 감정을 흘려보낼 수 있다는 생각이었다.

후기를 읽던 최 원장의 입꼬리가 살짝 올라갔다. 만족 내지는 뿌듯함이 담긴 표정이었다.

"후기를 읽고 나니 기분이 좋습니다. 내담자가 행복해지는 걸 보면 행복합니다."

말없이 눈만 끔벅거리는 수지를 본 최 원장이 물었다.

"왜요? 아직 답이 안 된 건가요?"

"원장님이 좀 이해되지 않아요. 다른 사람의 행복이 어떻게 원장님의 행복이 될 수 있는 거죠?"

조금은 무례한 듯 지나치게 솔직한 수지의 말에도 최 원장은 차분히 말을 이어갔다.

"저는 일상에 있는 행복을 너무 늦게 깨달았습니다. 그게 후회스럽고, 그걸 누리지 못하는 사람을 보면 안타깝습니다. 후회나 안타까움, 이런 감정들이 저에게는 아픔이었는데, 저로 인해 다시금 행복을 찾아가는 사람을 보면 위로받습니다. 보람 있고 행복합니다. 사람마다 느끼는 행복의 요소는 다르겠지요. 수지 씨는 이제 맛있는 것만 먹어도 행복하다고 하지 않습니까. 사실 저는 맛있는 걸 먹는다고 행복해지지는 않거든요."

수지가 이제야 조금 이해된다는 표정으로 고개를 끄덕였다.

"무슨 말씀인지 조금 알겠어요. 그런데 좀 민망하네요. 제 행복은 원장님 것에 비해 너무 하찮잖아요."

"행복은 각자에게 절대적인 것입니다."

"절대적인 것이요?"

"네. 상대적이 아닌 절대적인 것, 비교 불가하다는 의미입니다. 아픔이나 고난도 마찬가지입니다."

"어렵네요. 잘 이해되지 않아요."

"당장 이해하지 못해도 상관없습니다만, 부연하자면…… 다른 사람이 행복의 요소라 생각하지 못하는 것에서 나는 행복을 느낄 수 있고, 반대로 타인이 고난이나 시련이라고 여기지 않는 것이 나에게는 시련이고 고난일 수 있습니다."

수지는 답 없이 최 원장의 설명에 집중하려 애쓰는 중이었다. 최 원장이 설명을 이어갔다.

"걱정 없이 그저 행복해 보이는 사람도 나름의 아픔이나 고민이 있습니다. 우리가 보기에 엄청난 고통 속에 있는 사람이 그 안에서 나름의 행복을 찾기도 합니다. 각자의 고난이나 행복은 타인의 것과 비교할 수 없습니다."

수지가 고개를 끄덕였다.

"각자의 행복이나 고난은 '절대적인 것'이다. 비교할 수 없다는 말을 이제 좀 알 것 같아요."

"제 생각은 그렇습니다."

수지는 최 원장과 대화 나누는 게 좋았다. 인간과 삶에 대한 최 원장의 깊은 사유를 들을 수 있었는데 어떤 날에는 사소한 감정이 얼마나 소중한 것인지 배웠고, 또 어떤 날에는 그런 것들이 삶과 죽음 앞에서 얼마나 부질없는 것인지 배웠다.

최 원장이 시계를 흘깃 보고는 자리에서 일어났다. 영업 시작까지 아직 시간이 있었다. 수지가 재빨리 최 원장에게 말을 걸었다.

"원장님, 이건 다른 이야기인데요. 우리 병원 인테리어를 조금 더 특별하게 바꿔 볼 생각은 없으세요?"

최 원장이 걸음을 멈추고 돌아섰다.

"갑자기요? 이 건물 인테리어 공사한 지 5년도 안 됐습니다. 나름 '유일한 빛'이라는 콘셉트로 신경 쓴 겁니다."

"감정이나 기억을 삭제한다는 게 뭐랄까 비현실적이잖아요. 사실 처음에 여기 들어오기 전에는 엄청나게 긴장됐거든요. 현실적이지 않아서, 그래서 뭔가 경이로운 공간이 펼쳐질 것 같았어요. 막상 들어서니까 평범한 모습에 안도했다가, 실망했어요. 우리 센터 평점 보니까 4.9점이길래, 인테리어 때문인가 싶었어요."

발끈했던 최 원장이 다시 차분해진 표정으로 답했다.

"사람의 마음이 원래 그런 거죠. 낯선 것에는 막연한 불안을 느끼잖아요. 그러다가 익숙해지면 지루함을 느끼고. 반복되는 일상에 매너리즘에 빠지는 사람이 많잖아요. 분명 그들도 시작점에서는 불안했고 그래서 빨리 적응되기를 바랐겠지만 말입니다. 이제 진짜 영업 시작하겠어요. 오늘은 여기까지만."

"네. 오늘도 파이팅!"

오전 열 시가 되자, 전 직원이 자리에서 일어나 외쳤다.

"안녕하세요, 초이스 심리상담센터입니다."

초이스 심리상담센터 영업이 시작되었다.

2. 수지 (E.M)

연말이라 그런지 예약이 없었다. 지긋지긋했던 한 해가 드디어 저물어서, 묵묵하게 한 해를 잘 버틴 스스로가 대견해서, 새해에 대한 희망이나 소망에 젖어서, 이도 저도 아니라면 거리마다 울려 퍼지는 크리스마스 캐럴 때문에라도 자꾸만 기분이 둥실 떠올랐다. 아픔을 치유하기 위해 이곳 초이스 심리상담센터를 찾아온다지만, 연말만큼은 들뜨는 마음을 억누르지 않고서 한없이 가볍고 싶었을 것이다. 아직 치유되지 않은 아픔은 잊은 채 말이다.

문이 열리자, 로비에 있던 직원들이 일제히 외쳤다. 차분하면서도 다정한 음성으로.

"안녕하세요. 초이스 심리상담센터입니다."

내담자가 아닌 택배 기사였다. 서둘러 물건을 전달하고 나가는 택배 기사는 연말에도 변함없이 바빠 보였다.

"행복하세요, 오늘도."

매일 듣는 익숙한 인사 소리에 수지는 문득 처음으로 이곳을 찾았던 기억이 떠올랐다.

*

3년 전, 그러니까 수지가 스물여섯이었던 당시 수지는 다이어트를 위해 점심시간마다 헬스장에서 운동했다. 잘록한 허리, 매끈한 다리를 만들어 자신 있게 크롭티에 미니스커트를 입게 되면, 인스타그램 속 보정된 자신의 사진을 볼 때 느끼는 이질감을 줄일 수 있을 거라는 생각에서였다.

수지가 다니는 회사 건물 1층 헬스장에는 점심을 거르고 운동하는 직장인이 많았다. 그사이에 마케팅팀 윤찬우 대리가 있었다. 그와 팀은 다르지만, 같은 회사 직원이기에 안면은 있었다. 헬스장에서 처음 마주쳤던 날, 그가 수지에게 먼저 인사를 건넸다.

"이수지 씨. 여기 다녀요?"

"네. 안녕하세요."

짧은 인사를 시작으로 두 사람은 매일 인사를 했다. 윤 대리는 운동하면서도 인사를 하느라 바빴다. 헬스장에서 운동하는 사람 중에 윤 대리를 모르는 사람은 없어 보였다. 그는 소위 말하는 '인싸' 기질이 다분해 보였다. 사교성 좋은 성격, 185센티가 넘어 보이는 훤칠한 키에 적당히 근육 있는 몸, 웃을 때 갈매기 모양이 되는 눈까지, 그는 한눈에 봐도 멋진 남자였다. 수지는 저런 남자는 어떤 사람과 연애할까 궁금했다.

수지가 점심 운동을 거르고 저녁에 헬스장으로 간 날이었다. 러닝머신 위에서 열심히 다리를 움직이고 있는데 누군가 맥주캔을 내밀었다.

"딱 한 캔만 할래요?"

윤 대리였다. 헬스장에서 인사만 나누던 그가 갑자기 맥주를 내밀어 놀랐기는 했지만, 싫지 않았다. 수지가 윤 대리를 마주 보고 앉자, 그가 물었다.

"오늘은 왜 저녁에 온 거에요?"

"바빠서 점심시간에도 일했거든요."

"저는 저녁에도 운동해요."

"아. 여기 직원들은요?"

"다 퇴근했어요. 내가 문 잠그고 가는 대신, 아무 때나 나가도 돼요. 여기 관장이랑 친해서."

어색함에 말없이 맥주를 홀짝거리는 수지에게 윤 대리가 말했다.

"집에 가기는 싫은데, 누가 매일 나랑 놀아주겠어요. 그래서 헬스장에서 시간 때우다가 가요. 운동만 하면 지겨워서 맥주도 좀 마시거든요. 혼자서는 좀 심심한데, 오늘은 수지 씨가 있어서 좋네요."

신나는 비트의 노래가 나오던 헬스장에는 언제부터인가 잔잔한 발라드가 나오고 있었다. 윤 대리가 자신의 플레이리스트를 재생시킨 것이었다.

"어, 이 노래."

"이 노래 좋아해요? 나도요."

"이 드라마 진짜 좋아했는데, OST를 BTS 뷔가 불러서 더 좋아해요."

수지는 윤 대리에게 한 번쯤 했던 이야기를 또 했다.

"수지 씨도 이 드라마 좋아했어요? 저도요."

드라마 이야기를 하다 보니 시간이 훌쩍 갔다. 한 캔만 마시기로 해놓고는, 정신 차려보니 몇 캔이 바닥에 나뒹굴고 있었다. 아버지가 불편해서 집에 가기 싫어한다는 것, 그래서 헬스장에서 시간을 보내다가 될 수 있으면 늦게 집에 간다는 것, 아까 그 드라마를 좋아한다는 것까지 이미 윤 대리에 대해 알고 있는 이야기들을 주로 했지만, 수지는 아는 체할 수 없었다.

처음으로 마주 앉은 윤 대리가 속눈썹이 유난히 긴 눈을 자꾸만 맞춰오니 가슴이 두근거렸다. 그의 시선이 줄곧 수지에게 닿자 부끄러워졌고 얼굴이 달아오르는 게 느껴졌다. 손으로 부채질을 해봤지만 소용없었다. 윤 대리는 맥주를 조금만 마셨는데도 그렇게 얼굴이 달아오르냐고 하면서, 차가운 맥주캔을 볼에 대보라고 했다. 술이 들어가서 그런지 그는 유난히 헤픈 웃음을 보였다. 수지도 자꾸 웃음이 났다.

"수지 씨, 이렇게 잘 웃는 사람이었구나."

윤 대리와 통화를 할 때도 수지는 이렇게 수시로 웃었다. 주로 무표정한데, 윤 대리 앞에서는 자꾸만 웃음이 났다. 윤 대리는 수지의 미소가 담긴 맥주를 순식간에 비워냈다. 수지도 윤 대리의 속도에 맞춰 남아 있던 맥주를 다 마시자 머리가 핑 돌았다.

"여자 친구 있어요?"

취기가 올라 충동적으로 던진 질문이었다. 수지는 그를 빤히 쳐다봤다. 윤 대리도 가만히 수지의 눈을 봤다. 자신을 알아봐 주기를 기대했다가, 사진과 전혀 다른 실물을 알면 실망하겠다는 생각이 들자 덜컥 겁났다. 재빨리 시선을 피하는데 그가 답했다.

"만난 지 한 달 정도 된 여자 친구 있어요."

그가 말한 여자 친구가 수지라는 걸 수지는 알았고, 그는 몰랐다.

"그런데 그게 좀…… 여자 친구라고 할 수 있는 건지. 사이버 연애라고 들어봤어요? 요새 많이 한다면서요, 랜선으로만 연애하는 거. 그거 해요."

수지는 잠시 고민하다가, 사람들이 일반적으로 보일 만한 반응을 했다.

"그런 걸 하는 사람 처음 봐요. 여자 친구 만나고 싶지 않아요?"

"만나고 싶죠. 좋아하는 마음이 점점 커지는데, 직접

만날 수가 없으니 힘들어요. 만나자고, 보고 싶다고 몇 번 말했는데 부담스러워하더라고요. 워낙 낯을 많이 가리는 친구라…… 주변에 나 사이버 연애하는데, 랜선으로만 만나는 게 힘들어, 라고 털어놓을 수도 없고. 답답하네요."

수지는 미안해서 아무 말도 할 수 없었다. 윤 대리는 제대로 대화 나눈 게 처음인데 이런 이야기를 해서 미안하다고, 취했나 보다고 했다. 수지는 화장실 좀. 겨우 한 마디를 내뱉고는 화장실로 뛰어 들어갔다.

문을 닫은 순간 울음이 터져 나왔다. 윤 대리가 눈앞에 있는 자신의 여자 친구를 알아보지 못해 서운했고, 한편으로는 그를 힘들게 해서 미안했다. 거울 속 나는 누구일까. 혼란스러웠다.

수지는 당시 이중생활을 하고 있었다. 스파이 같은 거창한 이중생활은 아니었고, 의류회사에서 일하는 평범한 이십 대 회사원이자 인스타그램에서 여신미모로 유명한 수진이었다. 수지가 이중생활을 하고 있다는 건 아무도 몰랐기에, 사이버 연애까지 가능했다. 그리고 그 사이버 연애의 상대는 윤 대리였다. 윤 대리가 말하는 여자 친구는 평범한 회사원 수지가 아닌, 인스타 스타 수진이었다.

"수지 씨."

밖에서 수지를 부르는 윤 대리의 목소리에 거울에 비친 눈물 자국을 닦으며 어지러워진 마음을 진정시켰다. 솔직하게 고백해야 할지, 이중생활을 계속해야 할지 고민했지만, 어느 쪽도 선택할 수 없었다. 복잡하고 혼란스러워진 와중에 급하게 이런 중요한 결정을 내리는 건 쉬운 일이 아니었다. 이중생활에 죄책감과 동시에 회의감이 들었고, 당장 인스타그램에서 탈퇴하고 핸드폰에 깔린 앱을 지워버려야겠다고 생각했다.

"핸드폰."

바지 주머니에 핸드폰이 없었다. 술을 마시던 테이블 어딘가에 놓여 있는 모양이었다.

화장실에서 나온 수지는 순식간에 당황한 얼굴이 되었다. 윤 대리가 수지의 핸드폰을 들여다보고 있었다. 울긋불긋해졌거나, 창백해졌을 수지의 얼굴을 본 그가 설명했다. 바닥에 있던 핸드폰에 자꾸만 카톡 알람이 울렸고, 그때 수지를 불렀던 것이라고. 곧 핸드폰 벨이 울리다가 끊겼는데, 그때 화면이 눈에 들어왔다고 했다. 허락 없이 봐서 미안하다는 말을 덧붙였다. 그가 내민 핸드폰 속 배경 화면에는 수지의 사진이 있었다. 앱으로 보정한 수지, 그러니까 수진의 사진이었다. 윤 대리가 조심스레 물었다.

"사진 말이야. 수진이 아니야? 둘이 아는 사이였어요?"

"왜 남의 핸드폰을 마음대로 봐요! 언니예요. 쌍둥이 언니!"

하필 쌍둥이 언니라는 말이 나가다니, 말을 내뱉으면서도 당황스러웠다. 윤 대리에게 짜증 섞인 거짓말을 하고는 황급히 헬스장을 빠져나왔다. 수지는 솔직해질 기회를 놓쳤고, 윤 대리는 눈치채지 못했다. 수지는 거칠게 닭살 돋은 팔을 문질러 마음에 어린 죄책감을 털어냈다. 집으로 가는 버스에서 윤 대리에게 카톡을 보냈다.

[이따 열두 시. 페이스 톡 할게요]

맥주를 급하게 마신 탓이었다.

*

수지는 이란성 쌍둥이다. 언니 수진은 엄마를 닮았고, 수지는 아빠를 빼다 박았다. 엄마는 대학 때 무슨 미인대회에 나가 1위를 했다고 들었다. 뽀얀 피부, 계란형 얼굴에 이목구비가 조화로웠고, 쌍둥이를 낳은 후에도 뒷모습을 보고 누가 따라올 만큼 날씬했다. 특히 우아한 미소가 엄마를 더 빛나게 했다. 언니는 엄마의 미모를 그대로 닮았고, 반짝이는 미소까지 유전 받았다.

수지는 하필 아빠를 닮았다. 아빠는 평범했다. 길 가다가 흔히 볼 수 있는, 어디 섞여도 튀지 않는 보통의 외모였다. 키는 173센티로 우리나라 남자 평균 키였고, 피부색은 하얗지도 까맣지도 않은 어중간한 색에 눈은 속 쌍꺼풀이 있어 크지도 작지도 않았다. 코는 동그란 편인데 높지도 낮지도 않았다. 특색 없는 얼굴은 주로 무표정했고, 대체로 무덤덤한 모습이었다.

이란성이라지만 아무리 그래도 쌍둥이인데 이렇게 다를 수가 있을까. 학창 시절 친구들은 언니에게 유전자가 몰방 됐냐고 했다. 언니는 저렇게 예쁜데 너는 왜 평범하냐고 했다. 그나마 수지라는 이름만큼은 수진보다는 덜 평범하고 예쁘다고 했다. 친구들이 일부러 상처 주려고 한 말은 아니겠지만, 자꾸 듣다 보니 어느 순간부터는 울컥했다. 비교당하는 건 쌍둥이의 숙명인 듯했지만, 적응되지 않았다. 예민한 날에는 비교 멘트를 날리는 애의 머리채를 잡고 흔들고 싶다는 충동을 느꼈다.

가족인 엄마나 언니와 다닐 일이 많았고, 함께 나가면 어쩔 수 없이 비교당했다. 사람들이 일부러 그런 건 아니었다. 엄마나 언니를 보면 예쁘다는 말이 절로 나왔으니까. 그 예쁘다는 말이 언니나 엄마를 향한 것이라는 건 명확했기에, 사람들이 대놓고 비교하지 않았어도 비교당한 기분이었다. 어릴 때는 속 상하다며 울었지만, 그럴 때마다 엄마는 "우리 수지도 예뻐."라고 말했다. 수지는 그게 객관적인 시각이 아니란 걸 알았다. 고슴도치도 제 새끼는 예쁘다고 하지 않던가. 사춘기에 접어들면서부터는 속상한 티를 내는 게 자존심 상했고, 아무렇지 않은 듯 무덤덤한 표정을 지었다. 대체로 무표정하고 무뚝뚝해진 인상은 더 아빠와 닮아 보였다.

태어났을 때부터 비교당한 수지의 심정은 겪어보지 않은 사람은 절대 모를 것이다. 자기혐오에 빠진 채, 미모에 대한 욕망만 커졌다. 맛있는 걸 먹어도, 재밌는 걸 봐도, 여행을 가도, 성적이 올라도 기분이 좋다는 정도로 느꼈을 뿐, 행복하지 않았다. 엄마나 언니처럼 예뻐지면 밥을 굶어도 행복할 거로 생각한 수지는 성인이 된 후 곧장 부모님을 졸라 성형 수술을 받았다. 언니의 사진을 들고 가서 언니처럼 고쳐

달라고 했다.

마취에서 깬 수지는 밤새 울었다. 눈물을 흘리면 안 된다고 했는데 자꾸만 눈물이 나왔다. 스스로를 미워하며 위축된 채 지내 온 지난 세월에 대한 서러움, 예뻐진 앞날에 대한 기대감이 자꾸만 눈물을 만들어냈다. 눈물이 마를 때쯤 행복할 일만 남았다는 생각이 들었고, 그러자 가슴이 두근거렸다.

태어났을 때부터 존재한 결핍은 결국 채울 수 없었던 걸까. 성형 수술을 받고 몇 년이 지났는데도 쌍꺼풀은 자연스러워지지 않았다. 살짝만 손댄 코도 부자연스럽기는 마찬가지였다. 친구들은 수술 전도 괜찮았는데 왜 고쳤냐고 했다. 처음에는 부기가 빠지면 괜찮을 거라며 스스로를 달랬지만, 대학을 졸업하고 직장생활을 시작한 후에도 자연스러워지지 않았다. 성형 수술만 하면 행복할 수 있을 거라 기대했는데…… 오히려 성형한 티가 나는 얼굴로 사람들을 마주하는 게 불편해졌다. 기대가 후회와 실망감으로 바뀌자, 수지가 느낀 감정은 불안이었다.

행복할 수 없는 걸까, 나는 절대 예뻐질 수 없는 걸까, 이렇게 나를 미워하면서 뭘 할 수 있을까.

성형 수술을 하고도 충족되지 않은 미모에 대한 욕

망을 어떻게 채워야 할지 고민스러웠다. 우울해하는 수지에게 힘을 주고 싶던 언니 수진은 수지와 함께 찍은 사진을 자신의 인스타그램 계정에 올려 수지를 태그했다.

[엄마 뱃속부터 내 짝꿍. 넌 어떤 모습으로든 그 자체로 예뻐. 사랑해]

수진의 인스타그램 계정 팔로워는 500명이 조금 넘었는데, 몇 년째 수진과 서로 격려와 칭찬을 하며 진심으로 소통해 온 인친들이었다. 수진이 올린 사진 아래에 인친의 댓글이 달리기 시작했다.

[쌍둥이인가요? 하나도 안 닮았어요]
[역시 우리 수진 님은 얼굴만큼 마음도 예뻐요]
[둘 다 예쁘지만, 수진 님에 한 표]
[역시 우리 수진 님 미모는 최고]

수지를 응원하기 위해 올린 사진에 수진을 칭찬하는 댓글이 달렸다. 특히 수진의 외모를 칭찬하는 댓글이었다.
수지는 그 댓글들을 보며, 이 세상에서는 절대 언

니의 미모를 따라갈 수 없겠다고 다시금 깨달았다. 차라리 죽어버리고 싶다는 생각이 들었지만, 생각만큼 용기가 생기진 않았다.

무기력해진 일상을 보내던 중에 인스타그램 광고에서 '뷰티 보너스'라는 보정 앱을 보고 홀린 듯 앱을 깔았다. 앱으로 사진을 찍은 후 손가락으로 몇 번 터치하자 인스타그램에서 미모로 유명해진 인플루언서나 인기 연예인과 비슷한 얼굴이 되었다. 다운로드 수가 10만이 넘는다더니, 그럴만했다. 뷰티 보너스 앱으로 보정한 수지의 사진은 엄마나 언니보다도 예뻐 보였다. 만족감을 느끼자 기분이 좋아졌다.

앱으로 찍은 사진을 기록하며, 우울하고 힘들어질 때마다 보기 위해 새로운 계정을 만들었다. 언니 수진보다 더 예쁜 수진을 만들 생각으로 아이디를 suzin96으로 정했고, 프로필에 이수진이라고 표시했다. 수지는 주로 크롭티에 미니스커트를 입거나, 브라톱에 5부 레깅스를 입고 방에 있는 전신 거울 앞에서 거셀을 찍어 올렸다. 거울 속에는 성형한 티가 나지만 예쁘지는 않은 얼굴, 빈약한 가슴, 알이 단단하게 박힌 종아리, 올챙이처럼 볼록 나온 배가 보였지만, 뷰티 보너스 앱이 있어서 괜찮았다.

얼굴은 뽀얗고 청순하게, 가슴은 적당한 볼륨감이 있게, 다리는 매끈하게 보정을 한 후 사진을 업로드했다. 앱으로 만진 사진은 자연스럽지 않고 어색했지만, 사람들은 부자연스러운 모습에 신경 쓰지 않았다. 예쁜 얼굴과 날씬한 몸매에만 집중했다. 예쁘다는 댓글을 시작으로 여신 미모라는 댓글이 달렸다. 이런 외모로 살면 행복하겠다는 댓글도 있었다. 처음으로 자신의 사진 아래 달린 예쁘다는 말을 보니 웃음이 났다. 원래 예쁘다는 칭찬은 엄마나 언니의 전유물이었는데. 무심하게 뛰던 심장 박동을 처음으로 느꼈다. 예쁘다는 세 글자에 감동해 웃다가 울다가 했다.

보정한 사진을 보며 혼자 만족하려고 만든 계정이었는데, 댓글이 달리고 희열을 느낀 수지는 생각이 바뀌었다. 더 많은 댓글이 달리면, 성형 수술을 하고 나서도 채워지지 않던 미모에 대한 욕망이 채워지지 않을까 생각했다. 수지는 손가락을 열심히 움직여 자신의 사진에 댓글을 달아준 사람들의 계정으로 가서 품앗이 댓글을 달고 닥치는 대로 팔로우 버튼을 눌렀다. 이때 회사에서 몇 번 마주쳤던 윤 대리의 계정도 팔로우했고, 곧 맞팔이 왔다. 천명 넘는 인친을 팔로우하자 대부분 맞팔이 왔고, 팔로워가 늘기 시작했다. suzin96 계정은 빠르게 팔로워가 늘더니 일 년 만에 2만에 가까워졌다.

인스타그램 내에서 여신 미모로 유명해진 수진은 수지보다 더 평범하고 흔한 이름이었지만 누구보다 특별해 보였다. 비밀스러운 이중생활에 죄책감이 안 든 건 아니다. 그때마다 합리화했다. 수진은 요즘 유행하는 일종의 '부캐' 같은 거라고. 그러니까 수진도 수지 자신이라고 할 수 있는 거라고 말이다.

수지가 생각하는 행복의 전제조건은 미모였고, 행복해지기 위해 성형 수술까지 받았지만, 미모에 대한 욕망이 채워지지 않았다. 손가락으로 핸드폰 화면을 몇 번 터치해서 만든 실제와 전혀 다른 가짜라고 해도, 수진으로 살면서 행복에 가까운 감정을 느꼈다. 이중생활이 수지에게는 유일한 행복의 통로였다.

처음부터 윤 대리를 속일 생각은 없었다. 윤 대리와 인친으로 소통하고 지낸 지 1년이 넘었지만, 매일 통화하고 사적인 대화를 나누게 될 거라고는 생각하지 못했다. 두 사람이 개인적으로 연락하게 된 건 그가 인스타그램으로 보내온 DM으로 시작된 것이었다. 회사에서 윤 대리를 처음 봤을 때, 훤칠한 외모 때문에 호감이 갔다. 통화하다 보니 대화가 잘 통한다고 느꼈고, 관심을 준 사람은 그가 처음이었기에 더 마음이 갔지만, 실제로 만날 생각은 없었다. 수지의 생각과 달리, 윤 대리는 이제 통화만 하지 말고 만나자고 했다. 실제로 만나서 눈을 맞추고 대화하고 싶다면서 제대로 연애해 보자고 했다. 이건 진지한 고백이라고 덧붙였다. 그에 대한 마음만 생각하면 바로 좋다고 했겠지만, 선뜻 오케이 할 수 없었다. 답을 재촉하는 그에게 사이버 연애부터 시작하자는 말이 나갔다.

"사이버 연애?"

"요새 많이 하더라고요. 우선 지금처럼 랜선으로만 연애해요. 내가 낯가림이 심해서 그래요."

말이 안 되는 제안이었기에 내뱉은 순간 거절당할 각오가 되었다. 그런데 예상외로 윤 대리가 제안을 받아들였다.

윤 대리와 연인이 되었다고 해도, 현실에서 달라진 건 없었다. 헬스장에서 마주치면 그는 가볍게 고개를 한 번 끄덕였고, 수지도 고개를 끄덕하고는 그에게서 최대한 먼 곳에 자리 잡아 운동만 했다. 회사에서 마주치는 수지가 그의 연인이라는 걸 그는 알지 못했다. 언제까지 숨겨야 할지, 언제까지 들키지 않을 수 있을지 모르겠는 수지만의 이중생활이었다.

그렇게 결핍을 땜질해 가며 꾸역꾸역 행복이라는 단어를 가슴 속에 넣었다. 아무에게도 들키지 않고 철저히 분리된 두 사람의 삶을 잘 살아왔는데, 윤 대리를 좋아하게 되면서 경계가 위태로워졌다.

*

"최근 데이팅 앱, 채팅 앱이나 SNS를 통해 인연을 맺는 사람들이 늘어났습니다. SNS를 통해 만난 연인을 실제로 만나자 사진과는 다른 사람이었습니다. 보정 앱으로 미모를 위조한 온라인 연인을 사기죄로 고소했다는 보도입니다."

윤 대리와의 첫 영상통화를 위해 서둘러 집으로 들어간 수지가 다녀왔다는 인사를 했지만, 들었는지 못 들었는지 가족들은 뉴스에만 집중한 모습이었다. 수지도 윤 대리처럼 저녁에도 운동해야 할지 고민했다. 집이 불편한 건 수지도 마찬가지였다. 게다가 하필 이런 뉴스가 나오는 타이밍이라니.

아빠는 별일이 다 있다고 했다. 너희는 이런 미친 짓 하지 말라는 아빠의 말에 수지는 세상이 달라진 거라고, 그러니까 그게 미친 짓은 아니라고 했다. 아빠는 별다른 말은 없이 채널을 돌려 버렸다.

“보정까지 해가면서, 온라인으로 연애한다고? 세상이 바뀌어도 너무 바뀌었다.”

여유가 묻어나는 엄마 특유의 말투였다. 거실 천장에 달린 고풍스러운 샹들리에 아래 엄마의 얼굴이 빛났다. 엄마가 집에 포인트를 주고 싶다며 발품 팔아 구해온 것이었다. 아빠는 이 샹들리에 덕분에 집이 환해졌다고 했다. 수지 생각은 좀 달랐다. 평범한 아파트 인테리어에 화려한 샹들리에는 이질감이 느껴졌다. 천장에 매달린 투명 구슬들은 낮에는 햇빛을 받아 반짝였고, 밤에는 전구를 통해 빛을 냈다. 아무튼, 그렇게 내내 반짝거렸다.

부모님의 반응을 보니 이중생활은 절대 들키지 말아야겠다는 생각이 들었다. 수지는 들어갈게요. 라고 말하고는 방으로 들어가서 문을 닫았다. 식구들이 닫힌 방문을 열어 보는 일은 없었다.

사실 이 집에서 겉도는 건 샹들리에가 아니라 수지였다. 엄마와 언니에게 느낀 열등감을 티 낼 수 없었고, 감추고 피하려다 보니 마음의 거리가 멀어졌다. 집에서는 주로 방에 들어와 혼자 시간을 보냈다. 가족들은 수지의 성격이 아빠를 닮아 원래 저렇게 말이 없고 무뚝뚝한 편이라고 생각했다.

열두 시면 가족들이 잠들 시간이었다. 그 이유로 윤 대리와 영상 통화할 시간을 열두 시로 정한 건 아니었다. 방에 들어가 문을 닫아버리면 그만이었지만, 수지에게는 준비할 시간이 필요했다. 화면이 연결된 후에 자신을 끝내 몰라주기를 바랐고, 그가 좋아하는 자신을 알아주기를 바랐다. 이중적인 마음이었다.

출근할 때는 대강 머리를 묶고 선크림까지만 바르면 끝이지만, 수진으로서는 달라야 했다. 팩트까지 바르고 정성 들여 쉐딩을 했다. 블러셔로 피부 화장을 마무리하자 칙칙했던 얼굴에 생기가 돌았다. 여전히 얼굴에 트러블이 보이기는 했지만, 나중에 조명으로 티 안 나게 감출 것이니 괜찮았다. 보랏빛 섀도우를 바르고 아이라인은 끝을 길게 뺐다. 뷰러로 속눈썹을 올리고 마스카라를 하니 눈매가 또렷해져 눈이 더 커 보였다. 구불거리는 머리카락을 고데기로 정성스레 폈다. 머리가 차분하게 펴져 얼굴을 덮자 갸름한 계란형처럼 보였다.

조명을 세팅하고 핸드폰 화면을 켰다. 조명 가까이 얼굴을 하자 피부가 뽀얗고 매끈해 보였다. 화면 속에는 조명과 헤어 그리고 메이크업으로 감춘 상반

신만 나타나서 다행이었다.

준비를 마친 후, 냉장고에서 맥주 한 캔을 꺼내 빠르게 마셨다. 술기운에 기대 용기를 내야 했다. 카톡 창을 열고, 페이스톡 버튼을 누르자 신호음이 갔다. 잠시 후 화면에 윤 대리가 나타났다.

"안녕?"

수지가 먼저 인사를 건넸다. 핸드폰 화면 너머로 윤 대리의 눈동자가 흔들리는 걸 본 수지는 인스타에서 본 사진과 달라서 놀랐냐고 물었다. 그는 솔직했다.

"조금 놀라기는 했어."

당연한 답이었지만 당황스러운 건 왜였을까. 수지가 민망함에 고개를 숙여버렸다.

"수진아. 혹시 사진이랑 달라서 만나기 어려워하는 거라면, 그러지 않아도 돼. 나는 네 외모만 보고 너를 좋아하는 게 아니야. 너는 내 이야기를 잘 들어주고, 우리는 대화가 잘 통해. 나는 그래서 네가 좋아. 내 마음은 쉽게 안 변해."

그는 묻지도 않은 걸 장황하게 말했다.

"사진이랑 그렇게 달라요?"

수지가 재차 물었다.

"다들 그렇게 보정 해서 인스타그램에 올리잖아."

"미안. 갑자기 피곤해서. 내일 통화해요."

마음이 불편해진 수지가 통화를 급하게 마무리했다. 그대로 조명 아래 각도를 잡고 뷰티 보너스 앱으로 사진을 찍었다. 그 사진에 보정까지 하자 여신 미모가 되었다.

"이게 난데. 이게 내 모습인데."

앱으로 찍고 보정까지 한 사진 속 모습이 진짜인 것처럼 느껴졌다. 마음에 드는 사진을 골라 인스타그램에 업로드 했다. 여신 미모라는 댓글이 정해진 답처럼 달리기 시작했다. 실시간으로 달리는 댓글을 읽다 보니 불편했던 마음은 잊은 채, 행복했다.

수지는 밤새 솔직한 사람이 될지, 철저한 이중 생활자가 되어야 할지 고민하다가 마음이 움직이는 대로 하기로 했다.

다음날 점심시간, 헬스장에서 마주친 윤 대리가 수지에게 친근해진 눈으로 말을 걸어왔다.

"세상 좁다. 둘이 쌍둥이 자매라니."

"그러게요."

짧게 답하고 가려는데 윤 대리가 말을 이어갔다. 어제 처음으로 수진과 영상통화를 했는데, 짧지만 좋았다고 했다.

"사진이랑 다르죠?"

수지는 사진이랑 크게 다르지 않다는 말을 듣고 싶었던 건지, 어제부터 자꾸만 같은 질문을 했다.

"그렇더라."

"실망했어요?"

"아니."

윤 대리는 의외의 답을 했다. 수지는 정말 실망하지 않았느냐고 물었다. 그는 사진하고 다른 건 사실이지만, 그렇다고 실망해야 하는 거냐고 반문했다.

"수진이도 행복의 전제조건이 미모라고 하던데, 수지 씨도 그렇게 생각하는 거야?"

말문이 막힌 수지를 보며 그가 미소 지었다. 윤 대리는 한동안 수지의 눈을 보더니 이란성이라고 해도 쌍둥이라 그런지 수진과 눈이 많이 닮았다고 했다.

수진이가 나니까.

윤 대리 앞에서는 입 밖으로 나오려는 말을 삼켜냈지만, 솔직해지고 싶은 충동을 종일 참기 어려웠다. 고민 끝에 마음 가는 대로, 솔직해지기로 결심했다. 퇴근길에 윤 대리에게 카톡을 보냈다.

[사이버 연애 말고 진짜 연애해요. 할 이야기가 있으니 아홉 시, 회사 앞 호프에서 만나요]

그에게서는 곧장 알겠다는 답이 왔다. 기대된다는 말에 수지는 아무 답도 할 수 없었다. 기대하지 말라고도, 기대하라고도 말할 수 없었다. 더 빨리 만날 수는 없냐는 말에 준비할 시간이 필요하다고 답했다.

집에 도착하자마자 풀메이크업을 하고 고데기로 머리카락을 곧게 폈다. 복숭아뼈까지 오는 기장의 원피스를 입어 사진과 다른 다리를 감췄다. 인스타그램 속 수진이 되기 위해 최선을 다했지만, 앱 없이는 불가능해 보였다.

약속 장소에 도착해 불안한 마음을 진정시키려고 가슴을 두드려보는데, 윤 대리가 호프 안으로 들어왔다. 눈이 마주친 그가 수지를 향해 걷기 시작했다. 마침내 수지 앞에 선 윤 대리가 입을 열었다.

"수지 씨?"

그는 수지를 알아봤다. 아니다. 알아보지 못했다. 수지는 뭐라고 답해야 할지 몰라 밖으로 도망쳤다.

왜 눈물이 안 나오는 걸까. 그래, 이건 내 잘못이 아니다. 단번에 나를 알아본 윤찬우 때문이다. 이중생활을 한 내 잘못이 아니다. 그가 끝내 나를 알아보지 못해 우리는 끝날 수밖에 없었던 거다.

수지는 화가 난 건지, 미안한 건지 마음이 갈팡질팡

했다. 도망치듯 걷다 보니 어느새 호프집에서 한참이나 떨어진 길이었다. 이제 윤 대리는 보이지 않았다. 뷰티 보너스 앱을 열었다. 은은한 가로등 조명 아래, 화면 속 수지는 평소와 좀 다른 분위기였다. 사진을 찍어 보정한 후 인스타그램에 올렸다. 실시간으로 댓글이 달리기 시작했다.

[오늘도 여신 미모]
[수진님 사진 보니까 힐링]

댓글을 읽다 보니 마음이 평온해졌다. 저녁 내내 불안하게 뛰던 가슴이 차분해졌다. 이중생활은 수지의 행복을 지킬 수 있는 유일한 방법이었다. 윤 대리만 없으면 이중생활은, 수지의 행복은 아무 문제 없을 것이다. 그의 연락처, 인스타그램 계정을 차단했다.

그날 이후 방에만 틀어박혀 있었던 게 몇 주째라고 했는데, 정확히 얼마나 지났는지는 알 수 없었다. 출근하지 않는데도 부모님은 매일 아침 수지를 깨워 무슨 일인지 설명하라고 했다. 잘 다니던 회사를 갑자기 그만두고 방에만 틀어박혀 지내는 딸이 걱정되어 무슨 말이라도 들으려고 했을 것이다. 수지는 설명하지도 않았고, 잔소리에 대들지도 않았다. 무슨 말이라도 좀 해보라고 했지만 대체 무슨 말을 해야 할지 고민스러웠다. 한참을 침묵하다가 방으로 들어와 문을 닫은 후에는 조명 앞에 앉아 사진을 찍었다. 보정한 사진을 인스타그램에 업로드 했다.

종일 방에 있는 것과 먹는 양이 많아진 것 말고는 평범한 일상이었다. 몸무게가 늘어서, 수진 계정 속 사진과 실물은 이제 더 차이가 났는데, 더 큰 쾌감을 느꼈다. 이런 게 행복이구나 생각했다가, 이 감정을 다시는 느끼지 못할까 봐 두려웠다.

언제부터인가 거울에 비친 모습이 별로였다. 예쁘기는커녕, 평범해 보이지도 않았다. 앱으로 사진을 찍고 보정까지 했는데도 만족스럽지 않았다. 이제 뭘 해야 할지 알 수 없어서 눈을 감았다. 잠에서 깨면 다시 눈을 감고 잠을 청했다.

꿈인지 현실인지 알 수 없는 날들이었다. 주로 높은 곳에서 다이빙하는 꿈을 꿨다. 뛰어내린 후에는 깊은 수심 아래로 가라앉았다. 그러다가 숨이 막힐 때쯤 발버둥 쳤다. 겨우 수면 위로 고개를 내밀었을 때는 급류의 한가운데였다. 계속 그런 꿈을 꿨다.

어느 날에는 윤 대리가 나타났다. 오랜만에 만난 윤 대리는 조금 해쓱해진 얼굴이었다. 그가 뭐라고 말했는데 들리지 않았다. 수지는 무슨 말이라도 하고 싶었지만, 수많은 감정이 족쇄가 되어 입을 막아버렸다. 고맙다는 말이든, 미안하다는 말이든 무슨 말이라도 하고 싶었지만, 말이 나오지 않았다. 결국, 수지는 한마디도 하지 못했다. 아무 말도 듣지 못한 윤 대리는 수지를 돌아섰다. 수지는 멀어져가는 그의 뒷모습을 바라봤다. 희미해져 잘 보이지 않을 때쯤, 윤 대리가 수지를 향해 몸을 돌렸다. 아득한 곳에서 들려오는 그의 음성은 또렷했다.

"왜 나를 속인 거야?"

그에게 달려가고 싶었지만, 침대에 누운 채 몸은 움직여지지 않았다. 감은 두 눈에서 뜨거운 액체가 흘러내렸다.

나는 행복하고 싶었어.

한 번 터진 눈물은 쉽사리 멎지 않았다. 꿈인지 현실인지 모를 곳에서 몇 날 며칠을 울어도 마르지 않던 눈물은 어느 날이 되니 말라버렸다. 그렇게 6개월이 흘렀다.

*

장대비가 쏟아지는 선릉역 1번 출구, 시야를 가릴 만

큼 비가 억수같이 쏟아지고 있었지만, 그곳을 지나는 사람은 많았다. 제대로 먹지도 자지도 못한 수지는 비에 젖은 인파가 마치 자신을 향해 쏟아지는 급류처럼 느껴졌다. 언니랑 두 번이나 예행연습을 했던 길인데도 진땀으로 옷이 흥건하게 젖을 만큼 긴장됐다. 상담받으며 좋아졌다고 해도, 여전히 집 밖은 힘들었다. 검은색 우산을 펼치기 전 잠시 멈춰 서서 숨을 크게 몰아 내쉬어 봤다.

"후."

다리에 단단히 힘을 주고 중심을 잡았다. 까닥하다가는 물살에 휩쓸려 이곳에서 사라져 버릴 것만 같았다. 우산을 펴고 다시 발걸음을 옮기기 시작했다. 1번 출구를 나와 첫 번째 골목으로 들어서자 경사진 길이 나왔다.

"헉!"

이번에는 무의식적으로 깊은숨이 몰아 내쉬어졌다. 가파른 길을 지나자 오른쪽에 스타벅스가, 왼쪽에는 교회가 보였다. 맞게 찾아가고 있는 것 같았다. 50미터 정도 더 걷다 보니 오른쪽에 작은 골목 하나가 보였다. 신경 쓰지 않으면 모르고 지나칠 만큼 좁은 골목이었다. 수지의 목적지는 그 골목 끝에 있는 10층짜리 건물이었다.

1층 카페에서 나오는 커피 향과 은은한 꽃향기 덕분에 여기까지 오는 내내 긴장되었던 마음이 차분해지는 듯했다. 수지가 우산을 접고 건물 안으로 들어섰다. 3층에 도착해 문을 열자 로비에 있던 직원들이 일어나 친절한 표정으로 인사했다.

"안녕하세요, 초이스 심리상담센터입니다."

문 앞에 서 있던 직원이 수지에게 다가오며 물었다.

"오늘 일리미네잇 시술 예정인 이수지 님이시죠?"

나긋한 음성에도 수지는 몸이 경직되었다. 직원은 수지가 긴장했다는 걸 눈치챘는지 이제 안심하라고, 다 괜찮아질 거라고 말했다. 상담실로 안내받은 수지가 조심스레 문을 열었다.

상담실은 밖에서 문을 열기 전에 상상했던 것과 다른 모습이었다. 우선은 생각했던 것보다 훨씬 규모가 큰 공간이었다. 그리고 시술을 위한 베드와 각종 의료 도구가 비치되어 있을 거라 생각했는데, 누군가의 안락한 거실처럼 꾸며진 모습이었다. 한쪽 벽면 전체가 하얀 스크린이었고 그 맞은편엔 책이 빼곡히 들어찬 책장이 벽 전체를 차지했다. 책장 앞에는 당장 뛰어들어 잠을 청하고 싶을 만큼 편해 보이는 소파가 놓여 있었다. 곳곳에 꽃병이 놓여 있었고, 꽃병마다 종류가 다른 꽃이 꽂혀 있었다. 정면에 보이는 건 벽 대신 통창이었다. 장대비에 젖은 창문에 골목 밖 거리에서 오는 불빛이 번졌다. 그 앞에는 하얀색 둥근 테이블이 놓여 있었고, 거기에 한 사람이 앉아 있었다. 눈이 마주칠 때까지 기다렸다는 듯, 그의 시선에 수지의 시선이 닿자 입을 열었다.

"안녕하세요, 이수지 님. 최규식입니다. 이쪽으로 와서 제 맞은편 자리에 앉아 주세요."

"아. 네."

수지가 그의 말에 따랐다. 마주 앉은 최규식 원장과 수지는 한동안 말이 없었다. 누구라도 말을 시작해야 이 서먹서먹한 침묵이 끝날 텐데. 적막은 수지를 더 불안하게 했고, 견디지 못한 수지가 먼저 입을 열었다.

"일리미네잇 예약하는 게 하늘의 별 따기보다 어렵다고 해서 기대도 안 했는데, 이렇게 예약이 돼서 놀랐어요."

"원래는 대면 상담을 6개월 이상 진행한 분을 대상으로 추천하는데, 이수지 씨의 경우 비대면, 화상으로 상담을 진행하셨죠. 대인기피증이 심해 외부 활동이 어려우셨지만, 그 와중에도 상담받겠다는 의지가 강해서 많이 좋아지셨어요. 회의 끝에 특별히 수지 씨를 일리미네잇 대상자로 선정하게 되었습니다."

원장실에 들어온 이후로 은은하게 수지의 후각을 자극했던 꽃향기 덕분인지 긴장이 풀리고 마음이 차분해졌다.

"감사해요."

"여러 가지로 힘드셨을 텐데, 여기까지 오느라 고생 많았습니다."

최 원장이 말한 '여기까지'는 단순히 선릉역이라는 위치만 의미한 건 아니었다. 상담 시작에서부터 일리미네잇 시술 날짜가 확정되기까지 지난 6개월간 수지의 노력에 대한 격려였다. 마음의 상처가 아프고 괴로워서, 그것을 잊기 위해 이곳을 찾는다지만, 상담하는 동안 아픔을 외면할 수만은 없기에 중간에 포기해 버리는 사람도 있었다. 상담 효과가 없다며 환불을 요구하는 사람도 있었다. 게다가 최 원장의 말대로 일리미네잇 최종 예약이 되기까지 절차는 까다로웠다.

첫째. 초이스 심리상담센터에 방문하여 각종 심리검사를 진행한다.

-자신에 대해서 알고 싶고, 진로에 대해 고민이라면 TCI, SCT, Holland, etc.

-힘든 감정과 답답함을 해소하기 위해서는 MMPI-2, TCI, Rorschach, etc.

-가족 및 부부 관계에 있어서는 MMPI-2, SCT, KFD, MBTI, etc.

-아동&청소년 학습 관련해서 궁금할 경우, K-WPPSI or K-WISC, TCI, etc.

둘째. 검사 결과 상담 후 3개월간 심리상담을 진행한다.

셋째. 3개월간 상담을 진행한 후 상담을 종료하거나 기간을 연장한다.

넷째. 상담 기간이 6개월 이상 된 내담자를 대상으로 그동안의 상담일지를 분석하고 전문가 회의를 통해 일리미네잇(Eliminate) 추천 대상자를 선정한다.

다섯째. 일리미네잇 추천 대상자로 선정된 내담자에게 그 사실을 통지하고, 내담자가 원하면 시술을 예약한다.

여섯째. 예약자를 대상으로 다시 각종 심리검사를 진행한다. 인공지능 딥러닝 뇌파 분석 소프트웨어로 뇌파를 분석한다. 뇌 MRI, SPECT 검사 및 분석 결과로 시뮬레이터를 가동하여 시술 후 최대 효과를 볼 수 있고 부작용은 최소화할 수 있는 사람이 최종 예약자가 된다.

이곳에 와서 최규식 원장을 만나기까지 수지는 말

그대로 산송장이었다. 모든 감각이나 감정이 굳어버린 듯 세상이 무미건조한 흑백이었다. 어둠과 빛조차 구분되지 않았다. 그 와중에도 행복하고 싶다는 말은 뇌리를 떠나지 않았다. 수지가 가졌던 미모에 대한 욕망은 행복을 위한 갈망이었다.

엄마인가 언니가 입에 넣어 준 죽을 먹고 기운이 좀 났던 어느 날에도 행복하고 싶다는 생각이 간절했다. 무기력했던 몸을 일으켜 앉도록 할 만큼이나 간절했고, 유일한 행복의 통로였던 인스타그램 앱을 열었다. 수진 계정에 달렸던 외모를 칭찬하는 댓글을 읽자 기운이 도는 듯했다. 그렇게 한참 동안 댓글을 보다가 둘러보기에 일리미네잇 후기를 올린 피드가 눈에 들어왔다. 아픈 감정이나 기억을 지워 행복을 찾았다고 했다.

"세상에 이런 시술이 있다니."

굳어있던 모든 감각이 살아나는 듯했고, 꺼졌던 마음 속 빛이 깜박이기 시작했다. 후기를 올린 계정으로 들어가 자세히 읽어보니, 시술이 시행되는 곳은 초이스 심리상담센터라고 했다. 떨리는 손가락을 움직여 초이스 심리상담센터 홈페이지에 접속했다. 심리검사를 예약하자, 예약 확정을 위해 전화가 걸려 왔다. 예약한 날짜에 방문해달라는 요청에 수지는 자신의 상태를 고백하고, 제발 살려 달라고 호소했다. 다행히 비대면 상담으로 진행하고, 검사지는 이메일을 통해 주고받기로 했다.

심리검사를 하고 일주일 후 결과 상담받았는데, 우울지수가 높아 위험하다고 했다. 곧장 화상으로 상담받기 시작했고, 6개월 동안 성실하게 상담 과정에 따랐다. 일리미네잇 대상자로 선정되었는데, 외출이 힘든 수지는 최종 검사 과정은 생략된 채 예약이 확정되었다.

"일리미네잇에 대해 안내받으신 거죠?"

최 원장이 물었다.

"네. 감정이나 기억을 지우는 시술이라고요."

"그렇습니다. 감정을 지우는 Eliminate Emotion, E.E, 기억을 지우는 Eliminate Memory, E.M 중에 상담을 통해 최종적으로 결정하여 진행하게 됩니다."

E.E의 경우 일주일간 입원, 회복 기간이 필요하고, E.M의 경우에는 두 시간 회복실에서 안정을 취한 후 바로 일상생활이 가능하다고 했다.

"편도체는 감정의 경험과 표현을 담당하는 변연계에 속하며 측두엽의 심부에 위치합니다."

최규식 원장이 벽면을 가득 채운 스크린에 그림을 띄우고 그림 속 편도체를 가리켰다. 편도체는 알려진

대로 아몬드 모양이었다.

“편도체는 감정이 개입된 사건에 대한 기억의 형성에서 중요한 역할을 합니다. 특히 공포나 불안에 관련된 감정 기억이죠. 이 편도체를 일부 제거하면, 정말 극히 일부입니다. 그러면 불안과 공포로 인한 부정적인 감정에 무뎌지게 됩니다.”

최 원장이 감정을 지우는 E.E에 대해 이어서 설명했다. 편도체 일부 제거로 영향받지 않고 도파민, 세로토닌 등의 호르몬이 적절하게 분비될 수 있도록 약물이 투여된다고 했다. E.E는 편도체 일부 제거 그리고 호르몬 조절 과정으로 진행되는 것이었다.

“E.E는 로봇수술입니다. 절제 도구가 크고 날카로운 메스가 아니라 열을 이용하여 세밀하게 진행됩니다. 머리에 구멍을 뚫기는 하지만 미세한 도구로 상처를 내는 것이기 때문에 수술 흔적도 거의 남지 않습니다. 지금껏 부작용이나 실패 사례는 없으니 걱정하지 마세요.”

로봇수술이 메스에 비해 무디다는 단점이 있지만, 일리미네잇에 이용되는 로봇만큼은 정교하다는 말도 덧붙였다.

“E.M도 기억을 담당하는 뇌의 일부를 제거하는 건가요?”

"아닙니다. E.E는 수술이지만, E.M은 일종의 최면 치료입니다. 메타버스에 접속하는 동시에 최면을 걸어 특정한 기억 속의 순간으로 돌아갑니다. 그 속에서 지우고 싶은 순간을 삭제하는 거죠. Meta-hypno·ther·apy라고도 부르는 시술입니다."

"감정을 무디게 만들고 기억을 지우는 게 가능하다니 정말 신기하네요."

수지의 팔에 어느새 닭살이 올라왔다.

"불가능할 것만 같던 일들이 어느새 당연해지곤 하는 세상이니까요. E.M은 제가 진행하고, E.E는 신경외과 박진홍 교수가 집도합니다. 2층에 신경외과 보셨죠? 현재는 거기 원장으로 있고요. 편도체 수술에 있어서 아시아 최고의 권위자입니다."

"네."

"수지 씨에 대한 이야기를 더 나눠볼게요. 아름다운 외모가 행복의 전제조건이라고요."

"제 생각은 그래요."

"자신을 사랑하고 아끼며, 소소한 것에도 만족할 수 있는 내면의 여유가 행복의 전제조건이 아닐까요?"

"그 내면의 여유는 예쁜 사람에게 있어요. 사람들은 아름다운 사람에게는 친절해요. 배려받고 보호받는 사람은 불편함이나 열등감을 느낄 일이 없어요. 마음에 여유가 생길 수밖에 없겠죠. 언니랑 엄마만 봐도 그래요."

"행복을 만드는 가치는 외모가 아닙니다. 자신을 사랑하고, 가진 것에 만족하면 행복합니다."

"자기만족, 그게 되면 여기까지 오지도 않았겠죠. 성형 수술까지 해가며 아무리 발버둥 쳐도 만족은커녕, 점점 더 못나지는 제 심정을 원장님이 아세요?"

"수지 씨 마음을 이해하지 못한 것처럼 들렸다면, 미안합니다."

최 원장이 수지를 달랬다.

"저에게 행복은 미모에요. 제가 인스타그램에 앱으로 보정한 사진을 올리고 나서 확신했어요. 제 사진에 예쁘다는 댓글이 달린 순간 처음으로 행복을 느꼈어요."

"미모를 가지지 못한 사람은 불행할까요?"

"그렇지 않을까요. 제가 그랬으니까요."

"그렇다면 미모가 뛰어난 사람은 모두 행복할까요?"

"네. 언니랑 엄마는 행복해요."

"미모가 뛰어난 사람이든, 그렇지 않은 사람이든 누구에게나 나름의 행복과 고난은 존재합니다. 예외가 없지요. 고난이나 아픔을 어떻게 받아들이느냐, 행복을 어디서 찾느냐에 따라 달라질 뿐입니다."

"원장님 말씀이 틀린 말은 아닌 것 같지만, 마음에

와닿지 않아요. 저는 행복할 수 없는 걸까요?"

불안해진 수지가 울음을 터뜨렸다. 최 원장이 수지에게 휴지를 건네며 말했다.

"불안해하지 마세요, 수지 씨. 제가 최선을 다해 도울게요. 수지 씨가 행복을 찾을 수 있도록. 수지 씨는 Eliminate Memory, 기억을 지우는 최면 치료를 할 예정입니다. 말씀드린 대로 최면에 걸린 상태로 메타버스에 접속해 그 당시의 순간으로 돌아갑니다. 그리고 그 순간의 기억을 지우는 것입니다."

"저는 어떤 기억을 지우게 될까요?"

"인스타그램을 시작하며 여신 미모로 행복을 느낀 기억을 삭제할 것입니다."

"제가 처음 행복을 느낀 순간인데요."

"원래 일리미네잇이 상담의 최종 단계지만, 수지 씨의 경우에는 시술 후 6개월간 상담을 더 진행하며 행복에 대한 가치 정립을 하도록 할 것입니다."

"그러면 제대로 된 행복을 배우고 느낄 수 있는 거죠?"

"맞습니다. 걱정하지 마세요. 제대로 된 행복을 찾기 위해 가짜 행복을 지우는 것입니다."

"빨리 시술받고 싶어요. 빼어난 미모가 없어도 온전한 저로 행복하고 싶어요."

"제가 도와드릴게요. 수지 씨."

최 원장이 스크린에 계약서를 띄웠다.

"잘 읽고 사인해 주세요."

"부작용은 없는 거죠?"

"없습니다."

수지가 계약서를 읽은 후에 다시 물었다.

"사인을 어디에 하면 되죠?"

"스크린을 향해 손을 뻗어 보세요."

수지가 최 원장의 말대로 스크린 쪽으로 손을 뻗었다. 스크린에 닿은 손가락 그림자가 펜이 되어 계약서에 최종 사인이 되었다. 수지가 직원의 안내에 따라 최면 치료실에 들어섰다.

"이쪽에서 시술복으로 갈아입고 편한 마음으로 여기 의자에 앉아 주세요."

준비를 마친 수지가 의자에 앉은 순간 놀랐다. 차갑고 단단할 거로 생각했는데, 안락하고 따듯했다.

"수지 씨. 이 헤드셋을 머리에 써주세요."

수지가 직원의 도움을 받아 헤드셋을 썼다.

"앞에 불빛을 봐주세요."

수지가 심호흡을 한 번 하고는 최 원장의 말대로 불빛을 봤다. 그 순간 번쩍, 더 큰 빛이 반짝였다. 이내 수지가 잠들었다.

윤 대리가 보였다. 꿈속에서는 들리지 않았던 윤 대리의 말이 들렸다.

"내가 수진이 너를 바로 알아보지 못해서 화난 거야? 미안해. 외모에 상관없이, 진심으로 너를 좋아했어."

수지가 온 마음을 다해 목소리를 내자, 속에서만 맴돌던 수지의 음성이 마침내 윤 대리에게 닿았다.

"속여서 미안해요. 나도 진심으로 좋아했어요. 나를 좋아해 줘서 고마웠어요."

하고 싶은 말이 많았지만, 말이 더 나가지 않았다. 수지를 바라보던 윤 대리가 미소 지었다.

"수지 씨. 기분이 어떠세요?"

최 원장의 목소리에 수지가 눈을 떴다.

"E.M이 잘 끝났고, 회복실입니다."

아직은 몽롱한 느낌이 들었지만, 괜찮았다.

"나쁘지 않아요."

"행복하세요?"

"글쎄요. 저는 행복이 뭔지, 어떤 감정인지 아직 잘 몰라요."

"제가 도와드릴게요. 수지 씨가 진정한 행복을 알게 될 때까지 상담을 진행하기로 했죠. 다음 예약은 일주일 후입니다."

"감사합니다."

"여기에 누워서 좀 쉬다가 두 시간 후에 직원이 안내하면 귀가하셔도 됩니다. 24시간 동안 무리하지 말고 푹 쉬세요."

"네."

수지는 진정한 행복을 찾아 나갈 앞으로의 날이 기대되었다. 그 기대가 구체적이지는 않고 막연했지만, 그럼에도 가슴이 두근거릴 만큼이나.

*

"이수지 씨, 무슨 생각해?"

"예전 생각이 나서."

"점심시간이야. 먼저 먹고 오세요. 오늘 점심 메뉴 부대찌개래."

"부대찌개요? 제일 좋아하는 메뉴인데! 다녀오겠습니다."

수지는 부대찌개 생각에 들떴다. 이제 좋아하는 음식만 먹고도 행복한 수지다.

3. 지선 (E.E)

철민이 다니는 직장은 선릉역 1번 출구 쪽에 있다. 퇴근길에 지하철역으로 걸어가다가 고층 건물 사이에 멈춰 섰다. 담배를 입에 물고 불을 붙이려는데 안쪽에서 사람이 걸어 나왔다. 입에 물었던 담배를 주머니에 쓱 넣고는 안쪽을 들여다봤다.

"저 안에 건물이 있었네."

이 좁은 길 끝에 건물이 있다는 걸 알지 못한 건 철민뿐이 아니었다. 두 사람이 나란히 걸으면 꽉 찰 만큼 폭이 좁은 골목은 고층 건물 사이에 있는 공간 내지는 틈 정도로 보여 무심코 지나칠 수밖에 없었다. 골목 양쪽 담벼락에 감긴 덤불은 꼭 그려놓은 듯 예뻐 보였다. 골목 안쪽에서 퍼져나온 고소한 커피 향과 달콤한 꽃향기가 철민의 후각을 부드럽게 자극했다. 그 향기가 인상 깊다거나 강렬한 건 아니었는데, 왠지 마음을 차분하게 만드는 듯했다. 답답하기만 했던 마음에 위로를 준 느낌이었달까. 홀린 듯 건물을 향해 걷기 시작했다.

건물 1층에 '벗, 꽃, 나무' 카페가 있었다. 카페 문을 열고 들어가자, 골목 입구에서 맡았던 향기가 났다. 코를 킁킁대며 향기를 맡고 있는데 직원이 인사를 건넸다.

"안녕하세요. 예약하셨나요?"

"아니요. 지나가다가. 예약 안 하면 이용이 안 되나요?"

잠시 고민하던 직원이 말했다.

"지금은 예약이 다 차서 자리가 없습니다. 죄송하지만 오늘은 테이크아웃 하시고 다른 날로 예약해 드리면 어떨까요?"

친절한 직원의 말투에 철민은 그러겠다고 하고는 따뜻한 아메리카노 한 잔을 주문했다.

"제가 맛있게 내려드리겠습니다. 이해해 주셔서 감사합니다. 언제든 예약 원하실 때 이 명함에 있는 사이트에서 예약해 주시면 됩니다."

직원이 자신의 명함을 내밀었다.

"바리스타, 정은호."

명함을 받아 든 철민이 카페 내부를 둘러봤다. 150평 남짓한 공간에 스무 개의 테이블이 있었는데 자리가 모두 차 있었다. 철민을 이곳으로 이끈 은은한 향기처럼, 분위기도 은은하고 편안했다. 좁은 골목에 꼭 숨어있는 것처럼 자리 잡은 이 건물에 예약해야만 올 수 있을 만큼 사람이 많다니. 다들 어떻게 알고 오는 건지 궁금했다. 철민이 주문한 커피를 내리고 있던 은호라는 직원에게 왜 이렇게 사람이 많은 거냐고 물으니, 이 건물에 있는 초이스 심리상담센터가 유명해지면서, 같은 건물 1층에 있는 카페까지 사람이 많아진 거라고 했다.

그날 이후로 일주일에 이삼일은 '벚, 꽃, 나무'카페에 들러 한 시간 정도 시간을 보내다 갔다. 요즈음 철민의 유일한 힐링 타임이었다.

*

은영의 손을 꼭 붙잡은 지선의 표정이 심상치 않았다. 허락 없이는 혼자서 집 밖으로 나가지 말라고 몇 번이나 당부했는데 말을 안 들었다고 화가 난 모양이었다. 은영은 한동안 지선의 눈치를 살피다가 말을 걸었다.

"엄마. 화났어?"

지선은 답이 없었다. 지선은 원래 화가 많이 나면 한동안 말이 없다. 마음이 진정될 때까지 말하지 않는 것이라고 했다. 은영에게 화내거나 짜증 내고 싶지 않아서 아무 말도 하지 않는 거라고 설명했었다. 지선은 은영에게 사랑만 주고, 웃는 모습만 보이고 싶다고 했다.

두 사람이 집으로 들어가자 철민이 뛰어나왔다.

"다친 데는 없고?"

"응. 괜찮아."

지선이 은영의 외투를 벗겨주자, 철민이 은영을 부축해 방으로 데려갔다. 은영을 조심스레 침대에 눕히고 이불을 덮어줬다. 준비해 뒀던 따뜻한 수건으로 손을 닦아주는 동안 가만히 눈을 감고 있던 은영이 금세 잠들었다. 몇 시간 동안 추위에 떨며 길을 헤맸으니 지쳤을 것이다. 은영이 잠들자 철민은 가습기를 틀고 조명을 어둡게 한 후 거실로 나갔다. 지선은 몸을 녹일 새도 없이 주방에서 분주했다.

"몸 좀 녹이고 하지. 추운데 찾아다니느라 고생했잖아."

"자는 동안 빨리 저녁 준비해야지. 이 추위에 헤매느라 얼마나 애를 썼을 거야. 아까 삼계탕 끓인다고 장 봤거든. 이거 먹고 기력 회복되면 좋겠어. 요즘 기운 없어서 걱정했는데, 오늘 보니까 그래도 잘 걷더라고."

은영에 대한 사랑이 각별한 지선을 알기에 철민은 더 이상 쉬라는 말을 하지 않았다.

"뭐 도울 거 없어?"

"응. 안 도와주는 게 도와주는 거야."

철민이 지선의 어깨를 주물렀다.

"어때? 시원해? 어깨 많이 뭉쳤다."

"응. 이 추위에 계속 거리에서 헤맸으면 어쩔 뻔했

어. 지나가던 아가씨가 길 잃은 거 알아보고 근처 지구대로 데려갔으니 망정이지."

철민은 지선이 걱정돼서 자꾸 말을 걸었지만, 지선은 은영 생각뿐이었다.

"왜 혼자 나간 거래? 한동안 안 그랬잖아."

"내가 마트에 다녀온다고 하고 나갔었거든."

"잠깐 나가는 건 괜찮았잖아."

"근처 마트가 문을 닫았더라고. 그래서 차 타고 이마트까지 다녀오느라 평소보다 시간이 좀 걸렸어. 서두른다고 했는데도."

"그랬구나."

"응. 올 때가 지났는데 안 오니까, 불안했나 봐. 나랑 일정 시간 이상 떨어지면 불안해하잖아."

"분리불안인 거야?"

"응 그렇기도 하고. 여러 가지로 불안해지는 것 같아. 내가 죽을까 봐 불안하고, 자기를 버릴까 봐 불안하대."

"당신한테 그렇게 말해?"

"응. 원래 나한테는 이런저런 이야기 잘 해주잖아. 그래서 다행이지 뭐."

"더 신경 써야겠다. 앞으로는 장 보러 나가지 말고 그냥 앱으로 주문해. 밥하기 번거로우면 배달시켜 먹고. 응?"

"그래야겠어. 난 집밥 해주고 싶어서 그랬지."

"요샌 배달 음식도 괜찮다더라고."

"그럴게. 이제 중불로 40분 정도 푹 끓이면 되거든. 나도 좀 쉴게. 당신도 들어가서 쉬어."

철민은 늘 지선이 하라는 대로 했다. 그래서 다행이었다. 옆에서 계속 말을 걸었다면, 신경질을 내버렸을 것이다. 철민이 노력하고 있다는 걸 알지만, 차라리 은영과 둘이 살고 싶다는 생각이 들었다. 미안하기도 하고, 창피하기도 하고, 지금은 은영 챙기는 것 말고는 다 귀찮게만 느껴졌다. 지선에게 관심을 주는 것도, 이렇게 자꾸 말을 거는 것조차 성가시게 느껴졌다.

냄비 안에서 삼계탕이 끓어오르는 소리만 적막해진 거실을 채웠다. 지선은 소파에 앉아 삼계탕이 넘치지 않는지, 가만히 가스레인지만 바라봤다. 아무것도 하지 않고 있으면 어김없이 이런저런 생각이 머리를 어지럽혔다. 생각이라는 건 머리를 텅 빈 채로 그냥 좀 내버려 두는 법이 없었다.

우리 집이 1층이 아니었다면, 그래서 밖으로 나가는데 이렇게까지 수월하지 않았다면, 은영이 한파주의보가 있는 날 거리에서 헤매는 일은 없지 않았을까. 이사할걸, 이참에 오피스텔을 얻어 은영과 둘이 나갈까. 준수 녀석이 어릴 때 그렇게 유난스럽지만 않았어도 1층에 살 일은 없었는데.

준수, 지선의 아들은 어릴 때 한시도 가만히 있지 않았다. 7층 전셋집에서 살 때 아래층과 사이가 불편했었다. 바닥에 매트를 깔았고, 준수의 움직임이 커질 때마다 주의 주며 조심했는데도 수시로 인터폰이 울렸다. 아래층에서 시끄럽다고 항의해 온 것이었다. 은영이 집에 놀러 왔던 날, 반가움에 흥분한 준수가 발을 동동 굴렀는데, 말릴 새도 없이 어김없이 아래층에서 항의를 해왔다. 그날은 인터폰 대신 벨이 울렸다. 지선이 문을 열자마자 아래층에 사는 학생 엄마가 좀 조용히 하라고, 애가 왜 이렇게 산만하냐고, 정신 사나워서 살 수가 없다고 따발총처럼 쉬지 않고 말을 쏟아냈다. 아직 여자의 총알이 다 떨어지지도 않았는데 은영이 현관문으로 뛰어나갔다. 아래층 여자는 여전히 말을 쏟아내고 있었고, 은영은 여자보다 더 큰 목소리로 고래고래 소리쳤다.

“이 여자가 진짜. 어린애가 좀 뛸 수도 있지. 산만하고 예민한 건 우리 애가 아니라 그쪽이잖아! 자꾸 우리 애들 괴롭히지 말고 꺼져!”

말이 끝나자마자 손에 쥐고 있던 하얀 가루를 여자에게 뿌렸다. 은영은 총알 대신 소금을 무기로 들고 뛰쳐나갔던 것이다. 지선은 은영을 막아서며 연신 죄송하다고 말한 후 황급히 문을 닫았다. 닫힌 문 앞에 가만히 선 채 두 사람은 한동안 말이 없었다. 내내 방방 뛰던 준수도 갑작스러운 상황에 놀랐는지 얼음이 돼서 눈만 끔벅였다.

"내가 말이 좀 심했나?"

은영이 지선의 눈치를 살폈다.

"아니, 잘했어. 속이 다 시원하네."

지선이 환하게 웃자, 준수도 은영도 웃었다. 지금은 치료를 잘 받고 지선이 노력한 덕분에 좋아졌지만, 당시 준수는 ADHD 판정받고 약물치료를 받는 중이었다. 잘 치료받고 노력하면 좋아질 거라고 했지만, 지선은 이따금 무너져내리는 마음을 다잡아야 했다. 준수 때문에 힘들었지만, 준수를 위해 힘내다가도, 이게 엄마인 자신 탓인 것 같았다. 아래층에서는 모르고 한 말이었겠지만, 지선에게는 상처가 됐다. 은영은 딸을 아프게 하는데 잠자코 있을 수 없었고, 소금을 한 움큼 쥐고 달려나가 뿌린 것이었다.

그날 이후로 아래층과 사이가 더 불편해졌고, 아래층 여자가 층간소음으로 경찰에 신고하는 일까지 벌어졌다. 층간소음으로 인한 이웃 간의 불화, 뉴스에나 나오던 일이 지선에게 현실로 일어났다. 경찰이 다녀가고, 고성이 오고 가는 사이 준수가 불안하고 예민해졌다. 이사밖에는 답이 없어 보였다. 급하게 이사를 해야 했지만, 경제적인 부분이 여의치가 않았고, 은영의 제안으로 이곳 1층, 은영의 집으로 합가했다. 그게 준수가 일곱 살 때였으니, 이 집에서 네 식구가 산지도 벌써 이십 년이 넘었다.

삼계탕이 푹 고아졌을 때쯤, 은영이 잠에서 깼다.

"엄마. 엄마."

지선이 가스 불을 끄고 은영의 방으로 뛰어 들어갔다.

"잘 잤어?"

"응."

지선이 부드러운 손길로 은영의 다리를 주물렀다.

"어때? 시원해? 다리 아프지? 아까 몇 시간을 걸은 거야."

"배고파."

"삼계탕 끓였어. 맛있겠지?"

"응."

두 사람이 거실로 나가자 철민과 준수가 식탁에 수

저를 놓고 있었다. 지선이 은영을 부축해 식탁에 앉혔다. 은영이 철민을 보며 물었다.

"아저씨는 오늘도 우리 집에서 잘 거야?"

지선이 숟가락을 은영의 손에 쥐여주며 말했다.

"당연하지. 이거 얼른 먹어. 식겠어."

살코기를 손으로 발라 은영의 입에 넣어줬다. 은영이 열심히 입을 오물거리며, 지선이 주는 고기를 받아먹었다.

"잘 먹네. 요새 입맛 없다고 잘 못 먹더니."

"저 오빠는 왜 오늘도 우리 집에서 밥을 먹어?"

은영이 손가락으로 준수를 가리켰다. 준수는 말없이 미간에 힘을 줬다. 지선이 준수의 눈치를 살피며 말했다.

"원래 같이 먹잖아. 준수가 요새 바빠서 다 같이 저녁 먹는 게 오랜만이네."

준수가 식탁에서 일어났다.

"쉴게요."

준수가 방문을 닫고 들어가 버리자 철민이 말했다.

"저 녀석. 왜 저렇게 까칠해."

"일이 많은가 봐. 피곤해서 저럴 거야."

"난 이거 먹고 운동 다녀오려고."

"탁구?"

"응."

"나도 운동 좀 해야 하는데. 옴짝달싹 못 하네."

"나 퇴근하고 오면, 당신도 좀 나가서 바람 쐬고 오면 좋은데. 당신이 없으면 불안해하니까."

"빨리 봄 됐으면 좋겠어. 같이 나가서 산책이라도 하면 좋을 텐데. 너무 추워."

"운동하러 가기 미안하네. 가지 말까?"

"아니야. 다녀와요."

"그럼 금방 다녀올게. 미안해."

"괜찮아."

철민이 집을 나섰다. 그동안 삼계탕 한 그릇을 다 비운 은영이 지선을 불렀다.

"엄마. 나 다 먹었어. 잘했지?"

"잘했어. 앞으로 이렇게 잘 먹자. 응?"

"응."

"설거지 금방 할게. 방에 들어가서 쉬고 있어."

"엄마랑 있을래."

"그래. 종이접기하고 있을래?"

"응."

은영은 틈만 나면 색종이로 학을 접었다. 다른 건 재미를 못 느끼더니 유일하게 학 접는 건 좋아했다. 지선이 설거지하는 동안 은영은 학을 열 마리나 접었다. 지선이 식탁에 놓인 종이학을 보며 말했다.

"우와. 벌써 이렇게나 많이 접었어?"

"응. 엄마 줄 거야."

"나 종이학 엄청 많은데 또 준다고?"

"응. 엄마 주려고 접는 거야. 엄마를 사랑하는 만큼 접어서 줄 거야."

"지금도 충분히 많이 줬는데."

지선이 집을 둘러봤다. 식탁에도, 그 위 선반에도, 거실 소파 옆 탁자 위에도, 책장에도, 싱크대 옆 유리병 안에도, 곳곳에 종이학이 자리를 차지했다. 한곳에 모아 정리를 하려고 해도 은영이 손도 못 대게 해서 그냥 이렇게 놔두는 중이었다. 집을 가득 채운 종이학은 지선의 삶에 없어서는 안 될 삶의 이유, 은영의 사랑이었다.

"나는 천 마리만큼 엄마를 사랑해. 그래서 계속 접어야 해."

"고마워. 나도 사랑해. 오래오래 살면서 계속 접어줘."

은영은 뿌듯한 표정으로 손가락을 열심히 움직였다. 지선이 은영의 머리를 쓰다듬었다. 은영은 지선의 손길이 좋은지 노래를 흥얼거렸다.

"그게 무슨 노래야?"

"나도 몰라."

지선도, 은영도 알 수 없는 노래였지만 두 사람에게 안정감을 주는 멜로디였다. 지선이 은영에게 말했다.

"다시는 혼자 집 밖에 나가지 마. 알겠지? 심장 떨어지는 줄 알았어. 못 찾을까 봐 얼마나 걱정했는데."

은영이 색종이 접던 손을 멈추고 지선을 보며 말했다.

"오늘은 엄마가 아무리 기다려도 안 와서…… 백까지 열 번 세면 온다고 했는데 한참 지나도 안 왔잖아."

"집 앞에 마트가 문을 닫았더라고. 그래서 이마트까지 가느라고 그랬어. 미안해. 다음에는 약속 지킬게."

"엄마가 내 옆에 없으면 불안해."

은영의 눈에 금세 눈물이 차올랐다.

"옆에 있을게. 걱정하지 마."

"우리 오래오래 행복하게 같이 살자."

"응. 그러자."

이번에는 지선의 눈에 눈물이 고였다.

"엄마 왜 울어?"

"안 울어. 눈에 뭐 들어갔나 봐."

지선이 재빨리 눈가에 맺힌 눈물을 닦았다.

"아까는 내가 미안했어. 엄마랑 약속 안 지킨 거 미안해. 앞으로는 안 그럴게. 그러니까 울지 마."

"응. 안 울어. 이제 잘까? 내가 재워줄게."
"응."

은영을 재우다가 옆에서 깜박 잠들었던 지선은 거실에서 들리는 인기척에 잠에서 깼다. 조용히 불을 끄고 거실로 나갔다. 운동을 마치고 온 철민이 건조기에서 빨래를 꺼내 개고 있었다.
"언제 왔어? 깜박 졸았네."
"조금 전에 왔어. 저기 말이야……"
철민이 머뭇거렸다.
"뭔데?"
"운동 가서 오늘 있었던 일 이야기했더니, 당신 너무 힘들겠다고. 치매 걸린 부모 돌보다가 힘들어서 우울증 온 사람도 있더라고. "
"난 그 정도는 아니야."
"당신 지쳐가는 게 보여. 수다스럽고 밝던 사람이 잘 웃지도 않잖아. 죽고 싶다는 생각도 했다며. 걱정돼서 그래. 탁구 멤버 영수네도 몇 년 전에 어머니 요양원으로……"
철민의 말이 끝나기도 전에 지선이 말을 잘랐다.
"안 돼."
"뭘 고민도 안 해보고 안 된대."

“내가 말했잖아. 나랑 떨어지면 불안해한다고. 불안해하는 모습 당신이 못 봐서 그래. 경련 온 사람처럼 몸을 떨어. 당장 숨이 넘어갈 것처럼 보인다고. 그런데 어떻게 요양원으로 보내. 말도 안 돼.”

“당신의 삶도 소중하니까. 나한텐 당신이 더 중요하니까.”

“다시는 요양원 이야기 꺼내지 마. 내가 더 신경 쓰고 잘 챙기면 오늘 같은 일은 없을 거야. 내가 당부했고, 약속했어. 다시는 안 그러기로 했어.”

철민은 말이 없었다.

“당신 힘든 거야? 그러게, 누가 당신 보고 신경 쓰래? 신경 좀 끄라고 했잖아. 애쓰지 말라고, 아무것도 하지 마, 그냥!”

지선이 소리 지르자, 철민이 한숨을 내쉬었다. 말없이 집 밖으로 나갔던 철민이 금세 들어왔다. 그 짧은 새에 담배 피고 왔는지 쾨쾨한 담배 냄새가 지선의 코를 찔렀다.

“당신, 담배 다시 피는 거야?”

“응. 나도 답답해서……”

지선은 신경질이 올라오는데 참을 수 없었다.

“그러니까, 당신은 제발 신경 쓰지 마. 내가 알아서 돌본다고. 왜 끊었던 담배를 다시 피우고 난리야.

엄마만으로도 벅찬데, 내가 당신까지 신경 써야겠어?"

"당신이 힘들어 보여서 그러지."

"난 괜찮아. 안 힘드니까, 그냥 나를 좀 내버려 둬. 한 번만 더 요양원 어쩌고 하면 나 진짜 화낼 거야. 알겠어?"

"그래."

철민이 가슴 깊은 곳에서부터 모은 숨을 뱉어내고는 방으로 들어갔다. 말이 길어지면 결국 철민을 한숨짓고 돌아서게 만드는 요즘이었다. 철민의 마음을 모르는 건 아니었다. 본인도 힘들고 불편할 텐데 내색하지 않고 지선과 은영을 챙겨 주는 남편에게 고마웠다. 요양원 이야기도 지선과 은영을 생각해서 한 말이라는 걸 안다. 애먼 철민에게 신경질을 냈지만, 사실은 자신에게 화가 났다. 요양원이라는 단어를 듣는 순간 혹하는 마음이 스쳤다. 나 편해지자고 엄마 집에서 엄마를 내보낼 생각을 한다니…… 죄책감 때문인지 명치 근처 어딘가가 답답했다. 브래지어를 벗어버리자 좀 숨 쉴만했다. 돌덩이 하나가 가슴을 틀어막고 있는 듯한 이 느낌은 몇 달째 지선을 억누르고 있었다. 어떤 날엔 지쳐서, 또 어떤 날에는 지친다고 생각했다는 죄책감 때문에 이렇게 답답했다. 벽장에서 와인을 한 병 꺼내왔다. 딱 한 잔만 마시고 자야지 하는 생각으로 시작하지만, 매일 한 병을 비워내고서야 잠들었다. 그렇지 않고서는 잠을 이룰 수 없었다.

알람이 울렸다. 아까부터 알람이 울렸는데 지선은 일어나지 못하는 중이었다. 가슴에 있던 묵직한 돌덩이가 머리 위로 옮겨온 느낌이었다. 전날에도 결국 한 병을 비우고 잠든 모양이었다. 잠들기 위해 마시기 시작한 와인 때문에 아침에 일어나는 건 여간 어려운 일이 아니었다. 아침이면 덜 마실 걸 후회했고, 밤이면 한 병을 다 비워내기 전까지는 멈추지 못했다. 잠든 것도 아니고, 잠에서 깬 것도 아닌 어중간한 상태로, 가위에 눌린 건지 꿈을 꾸고 있는 건지 알 수 없이 몸부림쳤다. 영혼과 육체가 분리된 건지, 분명 허공에 팔을 휘젓고 있는데 몸은 그대로였다.

"엄마."

은영의 목소리에 영혼과 육체가 다시 함께였다. 지선이 벌떡 일어나 은영에게 달려갔다.

"왜, 왜! 무슨 일이야."

"엄마 나 쉬했어."

"응? 쉬? 어디에 쉬 했어?"

"침대에."

은영은 곧 울음이 터질 듯한 얼굴로 지선을 봤다. 지선은 잘 떠지지 않는 눈을 비비며 은영을 달랬다.

"괜찮아. 우선 씻고 옷 갈아입자."

"미안해 엄마. 내가 엄마를 또 힘들게 했어."

"괜찮아. 걱정하지 마."

소변 실수는 처음이었다. 지선도 당황했지만, 차분한 말투로 은영을 안심시켰다. 불안이 은영에게는 가장 힘든 것일 테니까. 은영을 욕실로 데리고 가서 따뜻한 물로 몸을 씻겼다. 매일 신경 써서 잘 먹인다고 했는데도 자꾸만 야위어 가는 은영의 몸을 볼 때마다 마음이 아팠다.

"더 잘 먹자. 너무 말랐다. 응? 어제 삼계탕 먹은 것처럼, 매일 그렇게 잘 먹자."

"응."

"건강하게 오래 살기로 했잖아."

"알겠어."

은영을 씻기고 나와 머리를 말려줬다. 지선이 침대 시트를 가는 동안 은영은 바닥에 앉아 학을 접었다. 세탁기에 시트를 넣고 오니 은영이 학을 내밀었다.

"엄마 여기. 쉬한 거 미안해서 접었어."

"고마워. 여기 상자에 넣을게. 이제 진짜 천 마리는

되겠어. 몇 마리인지 같이 세볼까?"

"아니."

"왜?"

"엄마에 대한 사랑을 어떻게 셀 수 있겠어."

"감동이다. 그 멘트."

지선이 웃었다. 은영이 지선을 따라 웃었다.

아침 식사를 위해 가족이 식탁 앞에 모여 앉았다. 지선이 은영의 밥공기 위에 반찬을 놓았다. 은영이 숟가락을 입에 넣다 말고 준수를 보며 말했다.

"이 오빠는 아침에도 있네."

준수는 아무 말 없이 인상만 썼다. 지선이 대신 답했다.

"같이 사니까. 우리 집에서 같이 살잖아."

"왜 우리 집에서 살아?"

"가족이니까."

"가족이라고?"

"응. 내 아들이잖아. 박준수."

"아들?"

"응."

은영이 숟가락을 내던지며 짜증을 냈다.

"나 안 먹어."

"잘 먹기로 약속했잖아."

"싫어. 엄마한테는 나뿐이잖아. 그런데 왜 이 사람한테 아들이래."

준수가 숟가락을 식탁에 내려치며 탁, 하는 소리를 냈다. 은영이 화들짝 놀라서 준수를 봤다. 준수가 은영을 쏘아보며 소리 질렀다.

"할머니. 정신 좀 차리세요. 엄마 힘든 거 안 보여요?"

지선이 준수의 팔을 붙잡으며 소리쳤다.

"너 지금 뭐 하는 거야."

"아 진짜 짜증 나게. 맨날 헛소리나 듣고 있고. 참는 데도 한계가 있지. 엄마는 할머니한테만 웃어주고 아빠랑 나한테는 맨날 우울한 이야기뿐이잖아. 죽고 싶다 그러고. 죽고 싶을 만큼 힘들면 감당이 안 된다는 건데 왜 꾸역꾸역 감당하려고 해?"

"준수야. 그만하고 출근해라."

철민이 준수를 말렸다.

"아빠가 요양원 이야기도 했었다며. 왜 고민도 안 해 보는 건데. 엄마한테 가족은 할머니뿐이야? 우리는? 아빠랑 난 가족 아니야?"

지선이 무너져 내리려는 가슴을 겨우 부여잡고 말했다.

"가족이잖아. 네 말대로 가족이니까, 힘든 거 알면 이해해 줄 수 있잖아. 엄마가 얼마나 노력하고 있는데. 할머니 안정을 위해서 얼마나 참고 애쓰고 있는지 알면서 그렇게 말해?"

"참는 데도 한계가 있지. 대체 언제까지 이러고 살아야 하는 건데! 이러다가 내가 미쳐버리겠다고. 할머니한테 엄마 놀이하는 엄마도 정상은 아니야."

지선은 준수에게 실망스러웠다. 내가 저를 어떻게 키웠는데, 할머니도 하나밖에 없는 외손주의 안정을 위해 집까지 내주면서, 얼마나 애썼는데…… 가슴을 틀어막고 있던 돌덩이가 순식간에 혈류에 떠밀려 내려간 느낌이었다. 가슴에 맺혀있던 피가 급작스럽게 빠른 속도로 온몸으로 뻗쳐 나가는 듯했다.

"너 이 자식. 네가 어떻게 그렇게 말해. 이 나쁜 자식. 진짜 콱 죽어버리고 싶다. 내가 죽어야 해. 나 죽으면 그냥 엄마 요양원 보내버리고 둘이 편하게 살아. 그러면 되겠네."

흥분했는지 말이 과격하게 나갔다.

"준수야. 늦겠다. 얼른 출근해라."

준수가 철민의 제지에 집 밖으로 나갔다. 고성이 오가던 집 안은 이제 적막이었다. 두 손으로 귀를 막고 있던 은영이 말했다.

"무서워. 왜 싸워."

지선이 은영의 밥 위에 반찬을 올려줬다.

"신경 쓰지 마. 마저 먹자."

철민이 현관문을 열며 말했다.

"설거지라도 해주고 나가고 싶은데, 나도 출근 시간이 다 돼서."

"괜찮아요. 빨리 가."

"올 때 뭐 맛있는 것 좀 사 올까?"

"아니야. 내가 하면 돼. 다녀와요."

"그래. 고생해."

"나 고생하는 거 아니야. 괜찮다고 했잖아."

"알겠어. 다녀올게."

철민이 밖으로 나갔다. 이제 지선과 은영 둘뿐이었다. 은영이 안심한 듯 기지개를 한 번 켜더니, 다시 숟가락을 들고 밥을 먹기 시작했다. 지선은 머릿속이 어지러웠다. 이게 맞는 걸까. 남편과 아들을 힘들게 하면서 엄마를 모시는 게 맞는 걸까. 이게 정말 엄마를 위하는 걸까. 왜 이렇게 엄마를 위해서 애쓰고 있는 걸까. 이게 효도고 사랑인 걸까. 뭐가 정답인지 알 수 없이 혼란스럽기만 했다.

*

준수를 낳고 처음 품에 안은 순간 지선은 가슴이 터질 듯한 사랑의 감정을 느꼈다. 모성애였다. 동시에 중압감을 느꼈다. 한 아이의 엄마로서 느낀 책임감이었다. 지선의 품에 파고들어 꼬물거리며 젖을 찾는 아이는 불안해 보였다. 당장 젖을 물지 못하면, 울음을 터뜨릴 것 같았다. 드디어 젖을 찾아 입에 문 순간 아이는 안정을 찾은 모습이었다. 금세 평온해진 얼굴로 지선의 젖을 빠는 아이를 보며 깨달았다. 엄마는 아이에게 절대적인 존재였다.

지선을 엄마로 알고 있는 은영에게 지선은 절대적인 존재다. 3년 전, 일흔다섯이던 은영이 치매 판정을 받았다. 서서히 진행되고 있었겠지만, 지선은 몰랐다. 다른 사람은 기억하지 못하고 유일하게 지선을 기억하고 엄마라 부르기 전까지는 몰랐다. 은영은 그렇게 갑자기 지선의 딸이 되었다. 오랜 세월 홀로 지선을 키우며 고생한 엄마에게 제대로 효도도 하지 못했는데. 준수를 낳은 후에는 아픈 준수만 신경 쓴다고 엄마를 제대로 챙기지도 못했는데, 불현듯 엄마가 딸이 되어버렸다. 순식간에 준수가 삼십에 가까운 나이가 되고, 지선이 쉰을 넘겼다 생각했지만 돌이켜 보니 오랜 세월이었다. 그 긴 세월 동안 왜 진작 엄마를 챙기지 못했을까 후회되었다. 엄마 집에 얹혀살면서, 엄마를 배려하지 않고 아픈 자식을 키우며 배려받으려고만 했었다. 지선은 일흔다섯 먹은 딸을 키우기로 했다.

은영은 지선에게 효녀라는 말을 자주 했었다.

"우리 지선이는 효녀야."

"내가 무슨 효녀야. 공부도 못하고 엄마 도와주는 것도 하나 없는데."

"공부 못 하면 어때. 나쁜 짓 안 하고 착하게 잘 크고 있잖아. 게다가 엄마를 사랑해 주잖아. 엄마는 그거면 돼."

"엄마는 나한테 전부니까. 엄마를 사랑하는 건, 나한테는 그냥 본능이야."

"감동이다. 우리 딸."

지선이 준수를 낳고 키우며 정신없어지기 전까지는 수시로 효녀라는 말을 들었다. 우리 효녀, 효녀야. 그 후에도 지선에게 효녀라고 했을지 모르겠지만, 온통 준수 생각뿐이라, 엄마의 말은 귀에 잘 들어오지 않았다.

은영이 지선의 딸이 된 이후로, 지선은 은영에게 효녀라는 말을 자주 했다. 엄마가 해주는 말 중에 가장 듣기 좋은 말이었다. 절대적인 존재, 엄마가 효녀라고 말해주면 뿌듯하면서 안심됐던 기억 때문이었다.

"은영이는 효녀야."

"정말? 나 효녀야? 자꾸 길 잃고 엄마 걱정시키는데."

"나를 조건 없이 사랑해 주잖아."

"엄마를 사랑해서 학 접어주는 거야."

"고마워."

은영을 딸로 키우기 시작한 지 3년 차에 접어들면서부터 지친다는 생각이 들었다. 사랑보다는 책임감이 지선의 마음을 무겁게 했지만, 티 내지 않았다. 은영이 지선을 위해 희생해 온 지난 세월에 대한 보답으로 감당해야 할 몫이라고 생각하며 지친 마음을 다잡았다.

치매에 걸린 엄마를 돌보는 건 의지만으로 감당할 수 있는 건 아니었다. 여러 가지로 몸과 마음이 힘들었지만, 무엇보다 그리움과 미안함이 지선을 힘들게 했다. 가끔은 엄마에게 어리광부리고 위로받고 싶었는데…… 이제 지선에게 엄마는 없었다. 엄마가 곁에 있지만, 엄마가 아니라는 걸 수시로 실감했고, 그럴 때면 서글펐다. 엄마를 옆에 두고 엄마를 그리워하는 마음은 설명하기 어려웠고, 이해하기도 어려웠지만, 그립다는 그 감정만큼은 명확했다.

미안함, 남편과 아들을 향한 미안함도 지선을 아프게

했다. 은영에게 마음을 쏟다 보니 남편과 아들에게는 무심해졌다. 사랑하는 남편과 아들이 번거롭게 여겨지는 마음 또한 설명하기 어려웠고, 이해할 수 없었지만, 미안하다는 감정만큼은 확실했다.

*

특별한 일은 없는 날이었다. 은영이 밖에 나갔다가 길을 잃었다거나, 아침부터 준수가 신경을 긁어 소리 질렀다거나 하는 일은 없는 그런 보통의 날이었다. 여느 때처럼 준수와 철민이 출근한 후에, 지선은 은영과 집에서 시간을 보냈다. 점심을 먹고 설거지하려는데 은영이 엄마를 돕겠다며 나섰다.

"내가 설거지해줄게. 엄마가 나 돌보느라 힘들잖아."

"괜찮아. 내가 금방 하면 돼."

"아니야. 내가 할 수 있어."

싱크대 앞에 서서 꼼작 않는 은영의 모습에 지선이 고무장갑을 벗어서 은영에게 건넸다.

"이거 안 낄래."

맨손으로 설거지를 시작한 은영은 세제 거품이 손에 닿는 게 신기한지 손으로 방울을 만들어 보기도 하고, 입으로 후, 하고 불어보기도 했다. 지겹게 해 온 설거지지만, 기억하지 못하는 듯했다. 처음 해보는 설거지는 귀찮고 지겨운 일이 아니라 새로운 놀이처럼 느껴졌을 것이다. 즐거워 보이는 은영의 모습에 지선이 안심하고 식탁에 앉으려는 찰나 그릇 깨지는 소리가 났고 이내 은영이 비명을 질렀다. 지선이 싱크대 앞으로 달려가 은영의 손을 움켜쥐었다. 물에 세제 거품과 피를 흘려보내고 급하게 휴지로 지혈했는데도 피가 멈추지 않고 계속 흘렀다. 상처가 쓰라린지 은영이 울기 시작했다. 떼쓰며 우는 소리도 아니었고 그저 훌쩍이는 소리였는데 그 소리가 거슬렸다. 갑자기 짜증이 몰려왔다.

"그러게. 내가 한다고 했잖아. 왜 귀찮게 나서!"

"미안해. 엄마를 도와주려고 그런 건데."

지선은 소리를 지르기 시작했다.

"내가 무슨 엄마야. 엄마! 정신 좀 차려 제발. 나는 엄마 딸 이지선이야. 내 얼굴 똑바로 보라고. 정신이 나갔어도 기억은 있어야 할 거 아니야."

"엄마. 소리 지르지 마. 미안해. 내가 잘못했어."

그 후로 무슨 일이 있었는지 잘 기억나지 않는다. 소리를 지르다가 울다가를 반복했다. 얼마 동안이나 그랬는지는 모르겠다.

"여보. 진정해. 이제 진정하라고."

퇴근해서 들어온 철민이 지선의 등을 토닥였다. 점심 먹고 설거지하다가 그 난리가 났는데 어느새 저녁이었다. 지선이 울음을 멈추자, 지선 옆에 앉아 귀를 막고 있던 은영은 그대로 쓰러져 잠들었다. 철민이 은영을 부축해 소파에 눕히고 이불을 꺼내다가 덮어줬다.

"괜찮아? 왜 그런 거야. 당신 이런 적 없었잖아."

철민이 물었다.

"모르겠어. 나 지금 기운이 없어서. 나중에 이야기하자."

"그래. 당신도 좀 쉬어. 그러다 쓰러지겠어."

"엄마 저녁 챙겨야지."

지선은 저녁상을 차리고 은영을 깨웠다. 입맛이 없다는 은영에게 꾸역꾸역 밥을 먹였다.

저녁 먹은 설거지를 하기 위해 고무장갑을 끼는데 가슴속 돌덩이가 평소보다 더 묵직하게 느껴졌고 숨쉬는 게 불편했다. 벽장에서 와인을 꺼내다가 마셔도 좀처럼 나아지지 않았다. 술에 취해 몽롱해진 지선은 서랍에서 은영의 이름으로 처방받아온 수면제를 꺼냈다. 약 봉투에 남아 있는 수면제를 입에 다 털어 넣고 남은 와인을 들이켰다.

응급실이었다. 언제 눈을 감았는지 모르겠지만, 눈을 떴을 때 지선은 응급실에 누워있었다. 지선의 손을 꼭 잡고 웅크린 채 잠들어 있는 철민을 보자 눈물이 났다.

내가 무슨 짓을 한 거지. 죽으려고 했던 건 아닌데. 왜 갑자기 그런 짓을 한 거지.

남편에게 미안했다. 지선이 흐느끼는 소리에 철민이 잠에서 깼다.

"깼어? 괜찮은 거야? 난 당신 어떻게 되는 줄 알고……"

철민도 흐느끼기 시작했다.

"미안해, 준수 아빠. 내가 왜 그랬는지 모르겠어. 정말 미안해."

"괜찮아. 이렇게 살았으니 괜찮아."

지선은 우울증이 심각한 상태라고 했다. 누군가를 전적으로 보살필 상황이 아니라는 의사의 말에 철민은 은영을 설득했다.

"지선이가 많이 힘들대요. 그래서 잘 쉬어야 하나 봐요. 지선이랑 떨어지면 불안하겠지만, 조금만 참아 주세요. 제가 지선이 아프지 않게 할게요. 제 말 이해하시죠?"

은영이 조금은 혼란스러운 표정으로 물었다.

"엄마 죽는 거 아니지?"

"예. 제가 그렇게 안 놔둬요."

"내가 엄마랑 떨어져서 불안해도 참아볼게."

"잘 생각하셨어요."

기억이 없는 와중에도 모성애는 본능이었던 걸까. 은영이 안정된 상태로 요양원에 입원했다.

은영은 그곳이 마음에 든다고 했다. 시설도 생각보다 괜찮고, 직원들은 친절한 데다가 친구들이 많아 좋다고 했다. 무엇보다 엄마가 자기 때문에 힘들지 않게 되어 안심이라고 했다. 자신은 약도 잘 먹고 상담도 열심히 받으며 건강해지고 있으니 아무 걱정하지 말라고 했다.

*

지선은 지난해 5월부터 철민의 권유로 초이스 심리상담센터에 다녔다. 철민이 아는 데라고는 이곳밖에 없었기에 지선을 이곳으로 데려오게 되었다. 급하게 예약하고 두 달을 기다려야 했지만, 지선은 늦게라도 초이스 심리상담센터에 다니게 되어 다행이라고 했다. 8개월간 상담받으며 우울감은 조금 줄어든 듯했지만, 은영 생각만 하면 여전히 불안했다. 불안이 심한 날에는 공황 상태에 빠질 만큼이었다. 잘 지내고 있다고 하는데도, 면회 가서 안정된 은영과 만났는데도 걱정됐다. 끼니마다 잘 먹고 있는지, 지선이 옆에 없으면 힘든데 억지로 참고 있는 건 아닌지, 치매가 심해져서 지선마저 기억하지 못하게 되는 건 아닌지 불안했다. 상담만으로 온전한 치유는 불가능해 보였다. 다행히 일리미네잇 추천 대상자로 선정되었고, 여러 검사 절차 끝에 1월, 일리미네잇 대상자로 최종 예약되었다.

"안녕하십니까. 초이스 심리상담센터입니다."

지선과 철민이 문을 열고 들어서자, 직원들이 친절하게 인사했다. 수지가 지선에게 다가서며 말했다.

"너무 춥죠? 따뜻한 물 한 잔 드릴까요?"

"여기, 있어요."

철민이 보온병을 내밀었다.

"어쩜 이렇게 매번 세심하게 챙기세요. 그럼 바로 안내하겠습니다."

두 사람이 수지를 따라 5층으로 올라갔다. 수지가 상담실 문에 노크하자, 철민이 지선의 등을 토닥였다.

"3층에서 기다리고 있을게. 끝나고 봐."

지선이 고개를 끄덕이고는 안으로 들어갔다.

"안녕하십니까, 이지선 님. 이쪽으로 와서 앉아 주세요."

지선이 자리에 앉자, 최 원장이 물었다.

"요즘 어떠세요? 아직도 불안하신가요?"

"엄마 생각만 하면 불안해요."

"왜 불안하신 거죠?"

"엄마가 걱정돼요. 밥은 잘 먹는 건지. 어디 아픈 건 아닌지. 갑자기 돌아가시는 건 아닌지. 나를 잊은 건 아닌지……"

"분리불안은 지선 님이 있는 것 같군요."

"그런가 봐요."

최 원장의 농담에도 지선은 웃지 못했다.

"지선 님이 편해져야 어머니를 모시고 올 수 있습니다."

"그래서 노력하고 있는데, 생각보다 잘 안 돼요."

"지난 3년간 많이 힘드셨을 겁니다. 어머니를 사랑하는 마음으로 자신의 마음은 돌보지 않고 희생하셨으니까요."

"오랜 세월 엄마가 저를 위해 희생하셨으니까, 저도 보답해야죠."

"사랑은 희생이 아닙니다."

"사랑하는 사람을 위해서 희생하는 건 당연한 거죠."

"자신을 잃어가면서까지 사랑하지 않으셔도 됩니다. 지선 님이 건강하고 행복해야 어머니도 행복하실 겁니다."

지선은 여전히 혼란스러웠다.

"어머니께서는 지선 님의 회복을 위해 요양원으로 가셨어요. 그곳에서 잘 지내고 있다고 들었습니다. 지선 님도 보셨잖습니까. 잘 지내는 어머니 모습을. 어머니는 본능적으로 딸의 행복을 원하셨던 겁니다. 희생이 아니라."

"그런 걸까요."

"지선 님도 어머니의 희생보다는 행복을 원하지 않으셨나요?"

"맞아요. 엄마가 아프지 않고 행복하기를 바랐어요. 엄마의 행복이 제 행복이기도 했어요."

"지선 님은 어머니 말씀대로 효녀가 맞으시네요. 어머니는 효녀가 아프지 않고 행복하기를 바랄 겁니다. 지선 님이 행복한 것, 그게 최고의 효도일 거예요."

"일리미네잇 받고 나면 엄마에 대한 불안이 없어질까요? 빨리 안정을 찾고 건강해져서 엄마랑 살고 싶어요."

"네. 지선 님 경우에는 불안이나 공포의 감정을 삭제하는 E.E를 진행할 것입니다. 수술 후에는 불안에 무뎌질 겁니다."

"지우개처럼 불안을 지우는 수술이라니, 이런 게 가능할까 싶어요. 믿을 수 없지만, 믿고 싶어지네요."

"믿으셔도 됩니다."

차분하면서도 단호한 최 원장의 말에 신뢰감을 느낀 지선이 계약서에 사인했다.

직원의 안내를 받아 수술실로 들어가 옷을 갈아입고 베드에 누운 지선은 몸이 떨려왔다. 순식간에 불안함이 온몸을 감쌌고, 공황 상태에 빠지려는 찰나 최 원장의 차분한 음성이 들렸다.

"걱정하지 말고, 푹 주무세요."

지선의 팔에 꽂힌 주사기를 통해 마취약이 들어가기 시작하고, 단 몇 초 만에 지선이 잠들었다.

"엄마 내가 종이학 접었어."

"우리 지선이 예쁘게 잘 접었네. 엄마는 지선이가 접어 준 학을 보면 행복해."

"정말?"

"응. 세상을 다 가진 기분이야."

"내가 평생, 학 접어줄게."

"고마워. 우리 딸."

잠든 지선의 눈에서 눈물이 흘러내렸다.

"이지선 님."

최 원장의 목소리에 지선이 눈을 떴다.

"기분 어떠세요? 아직도 불안한가요?"

"괜찮아요. 불안하지 않아요. 엄마를 생각해도 마음이 편해요."

최 원장이 안심한 듯 웃었다.

"수술은 잘 마쳤습니다. 이제 이지선 님의 상담이 종료되었습니다. 잘 회복하시고 어머니와 만나셔야죠."

"네."

"당장은 무리하지 않으셔도 됩니다. 꼭 어머니를 모시지 않아도 되니 부담 갖지 마시고요. 부담감은 지선 님에게 좋지 않습니다. "

"잘 알겠습니다."

최 원장과 의료진이 입원실 밖으로 나갔다. 지선은 자신을 기다리고 있을 남편에게 전화를 걸었다. 신호음이 울리자마자 철민의 목소리가 들렸다.

"여보. 어때? 괜찮아?"

"응. 나 괜찮으니까 이제 걱정하지 마. 불안이라는 게 이렇게 힘든 감정이었구나. 불안이 없어지니까 마음이 정말 편한 거 있지."

"다행이다."

"나 일주일 동안 입원하는 거 들었어?"

"응. 안내받았어."

"면회 금지인 것도 들었지? 일주일 동안 나 못 봐서 어째?"

"그러게. 우리 마누라 보고 싶어 어쩌지."

두 사람이 웃었다. 오랜만에 평온한 마음이었다.

"색종이 사다 줄 수 있어? 데스크에 맡기면 입원실에 가져다주신대."

"종이학 접으려고?"

"응."

"장모님 좋아하시겠다."

"그렇겠지?"

지선은 입원해 있는 동안 학을 접을 것이다. 엄마를 사랑하는 만큼, 접고 또 접을 것이다. 그리고 퇴원하면 곧장 엄마를 만나러 갈 것이다.

4. 은호 (E.E)

"입 찢어지겠다."

"어제 잠도 푹 자고, 아침에 커피도 마셨는데 왜 이렇게 계속 졸린 거죠?"

자꾸만 하품이 나와 민망해진 수지가 입을 틀어막으며 말했다. 출근길 스타벅스에서 테이크아웃 해온 커피를 마셨는데도 오전 내내 졸렸다.

"1층 가서 커피 마시고 와요. 오전 예약도 없잖아."

"그래도 될까요? 감사합니다. 실장님 커피도 사 올게요."

수지가 얼른 지갑을 챙겨 1층 카페로 내려갔다. 수지가 카페 안으로 들어서자 은호가 인사를 건넸다. 은호는 '벗, 꽃, 나무' 카페에서 수지의 벗을 담당하는 아르바이트생이다.

"하이. 아침에 커피 안 마셨어?"

"마셨는데도 계속 졸리네."

"마끼야또?"

"응, 따뜻한 걸로. 그리고 아메리카노 한 잔 더."

은호와 수지는 올해 스물아홉, 동갑이다. 오고 가며 짧은 대화를 나눌 뿐이지만, 두 사람에게는 동질감 내지는 끈끈한 유대감 같은 게 있었다. 누군가는 비정상이라고 여긴 과거의 아픔, 그리고 일리미네잇으로 그 아픔을 지운 경험을 공유한 것만으로 서로에게 각별해졌다.

은호가 커피 석 잔을 건네며 말했다.

“좋은 하루.”

“나 아까 두 잔 주문했는데.”

“아아는 최 원장님 드려.”

“역시 우리 원장님은 얼죽아지.”

“안부도 같이 전해줘. 카페에 잘 안 오셔.”

“네가 커피값 안 받아서 그래. 돈을 받으라고. 원장님이 공짜 좋아하면 머리 벗겨져서 안 된다고 했단 말이야.”

“으하하. 원장님이 그런 농담도 하신단 말이야?”

순식간에 은호의 얼굴에 함박웃음이 번졌다.

“응. 은근히 웃겨 원장님. 간다, 빠이.”

“빠이.”

평범한 일상이나 이렇게 아무렇게나 불현듯 터져 버리는 웃음은 이제 불가능할 줄 알았다. 행복은 더욱 누릴 수 없을 줄 알았는데…… 이 모든 걸 되찾게 해준 것도, 이곳에서 일하게 된 것도 최 원장 덕분이었다. ‘벗, 꽃, 나무’ 카페 대표이기도 한 최 원장의 권유로 은호가 여기 1층 카페에서 바리스타이자 아르바이트생으로 일하게 된 지도 2년이 다 되었다.

*

어릴 때부터 공부도 잘하고 운동까지 잘하는 성호는 은호에게 우상이었다.

“나는 이 세상에서 형아가 제일 멋진 것 같아. 나도 형아처럼 되고 싶어.”

은호가 수시로 성호에게 한 말이었다. 은호가 초등학교에 입학하고 얼마 지나지 않았을 때 부모님이 이혼했다. 아빠는 이혼 후 미국인가 캐나다로 떠나버렸다. 잊을만할 때쯤 통화를 하다가 어느 날부터 연락이 끊겼다. 이 세상에 있는 아빠가 곁에 없다는 모순된 상황은 여덟 살 어린 은호가 겪기에 아프지 않은 건 아니었지만, 든든하고 자상한 형이 곁에 있었기에 버틸만했다. 아빠 없는 애라고 동네 애들이 놀릴 때마다 은호는 “나 아빠 있어!”라고 했다. 거짓말은 아니었다. 이 세상에 아빠가 없는 건 아니었으니까. 그리고 은호의 마음속에 성호는 형이자 아빠였다.

두발자전거 타는 법을 가르친 것도 아빠가 아닌 형 성호였다. 가만히 있어도 땀이 줄줄 흐르는 여름날 은호는 두발자전거 타는 법을 알려달라며 떼를 부렸다.

“엄마. 나 두발자전거 배울래. 친구들 다 두발자전거 타는데 나만 네발이야.”

“더운데 무슨 자전거야. 날 시원해지면 그때.”

엄마는 날이 덥다는 핑계로 미루기만 했다. 해 질 녘, 뜨겁게 달아오른 열기가 식을 때쯤 성호가 말했다.

“은호야. 공원 가자. 형이 도와줄게.”

“정말? 역시 우리 형아가 짱이야.”

저녁이라고 해도 무더운 여름이었다. 성호는 땀을 뻘뻘 흘려가며 은호의 자전거를 잡아줬다. 중심을 못 잡고 번번이 실패하자 짜증이 난 은호가 소리쳤다.

“아이씨. 왜 이렇게 안 되는 거야.”

“잠깐 쉬자.”

성호가 은호의 손을 잡고 자판기로 데려갔다.

“은호야. 네가 마음이 급해서 그래. 마음을 편하게 먹고 천천히. 급할 게 뭐 있냐. 시원한 콜라 마시고 다시 해보자.”

성호는 은호보다 더 덥고 힘들었을 텐데도 차분하게 은호를 달랬다.

“엄마는 이 썩는다고 콜라 못 먹게 하는데. 역시 우리 형 최고야.”

은호가 콜라를 단숨에 마시고는 큰 소리로 트림했다.

답답했던 가슴이 뻥 뚫리는 느낌이었다.

"다시 해보자. 긴장하지 말고 편하게."

은호는 성호의 말대로 마음을 편하게 먹으려고 노력 해봤다. 손잡이를 꽉 쥐고 있던 두 손에 힘을 살짝 뺐다. 페달에 가볍게 오른쪽 발을 올렸다. 그리고 왼발이 페달에 닿는 순간 부드럽게 힘을 줘봤다.

"와. 된다. 간다."

"그래. 은호야. 됐다. 지금 이 느낌으로 그대로 가면 돼."

"형아가 최고야!"

빠르게 페달을 밟자 은호의 얼굴에 바람이 스쳤다. 살면서 가장 행복한 순간이었다. 시원함과 달콤함을 동시에 느낀 순간 눈물이 났다. 슬퍼서가 아니라 기뻐서 나는 눈물인 것 같았다. 마음에 넘친 행복이 눈물로 흘러내린 모양이었다. 행복해도 눈물이 난다는 걸 은호는 그날 처음 알았다. 작은 공원 한 바퀴를 돌고 나니 마치 지구를 한 바퀴 돈 것 같은 기분이었다. 눈물 젖은 은호의 눈을 본 성호가 물었다.

"은호야, 잘했는데 왜 울어?"

"기분이 이상해서."

"이상해? 어떤데?"

"시원달콤해."

"하하. 그런 기분도 다 있냐?"

성호가 은호의 머리를 쓰다듬었다.

다정한 성호는 은호가 누군가에게 괴롭힘을 당할 때는 달라졌다. 은호가 동네에서 친구들과 놀다가 울음이 터진 채 집으로 들어간 날이었다.

"무슨 일이야. 누가 그랬어."

"애들이 자꾸 나만 술래 시키잖아. 내가 잡아도 바로 다시 나 잡고 술래 시켜. 내가 술래 안 한다고 했더니 정은호는 무조건 술래라잖아."

달리기가 느린 은호가 자꾸 술래가 되는 건 어쩔 수 없는 일이었다. 성호는 그 어쩔 수 없는 일을 그렇지 않게 만들었다. 아파트 단지 놀이터에서 술래잡기하는 친구들에게 엄포를 놨다.

"너희들. 한 번 술래한 애를 연속으로 또 시키는 거 아니야."

"그런 게 어디 있어요. 원래 잡히면 술래예요."

"불합리하잖아. 달리기 느린 애는 항상 술래야? 이 세상에 원래 그렇다는 건 없어. 당장 룰을 바꿔라. 안 그러면 형한테 혼난다."

성호는 일부러 태권도 검은 띠를 허리에 매고 나갔다. 여덟 살 어린이들에게 검은 띠를 맨 중학생 성호는 헐크보다 무서운 존재였다. 성호는 은호가 약자가 되는 상황을 막았고 동네 친구들은 은호를 무시하거나 얕보면 안 된다는 걸 알았다. 성호 덕분에 은호는 당당하고 자신감 넘치는 사람으로 성장했다. 점차 은호는 성호가 없는 곳에서도 어디서든 주눅 들지 않는 단단한 사람이 되었다.

회사에 다닌다고 바쁜 엄마를 대신해 성호가 은호의 식사를 챙기는 날도 많았다. 요즘은 핸드폰에 깔린 앱을 몇 번 터치하면 음식을 주문할 수 있지만, 당시만 해도 그런 건 없었다. 엄마가 냉장고 가득 반찬을 만들어 놓았어도, 무엇보다 성호가 끓여준 라면이 제일 맛있었다.

"나는 형아가 끓여주는 라면이 세상에서 제일 맛있어."

"그냥 물에다가 라면 넣고 끓이면 끝인데."

성호가 웃었다.

"아니야, 형아가 끓여주면 진짜 맛있어."

"그래?"

"응."

엄마는 라면이나 콜라 같은 걸 많이 먹으면 키가 안 큰다고 했지만, 고등학교에 입학했을 때 은호의 키는 185센티가 넘었다. 사람들이 뭘 먹고 이렇게 컸냐고 물으면 형이 끓여준 라면을 먹고 컸다고 했다.

은호가 고등학교 2학년이었던 2012년, 여섯 살 위인 형 성호는 의대에 재학 중이었다. 형 껌딱지 은호는 학교 도서관에서 공부하는 성호에게 자꾸 카톡을 보냈다.

[형. 빨리 와라.]
[집에서 같이 공부하자]
[집에 나 혼자 있는 거 싫다.]

은호의 성화에 서둘러 집으로 돌아오던 길, 성호가 교통사고를 당했다. 집 근처 횡단보도 앞에서 급출발한 차가 성호를 덮쳤다. 병원에서는 죽지 않은 게 기적이라고 했지만, 은호가 생각하기에 이런 형편없는 기적이 있을까 싶었다. 성호는 죽지 않고 살았지만, 평생 누워 살아야 하는 장애를 갖게 되었다. 은호의 보호자였던 형이 이제 스스로 대소변도 가릴 수 없는 연약한 존재가 되었다. 뉴스에서나 보던 사고가 왜 하필 성호 형에게 일어난 건지. 나쁜 짓 하면 벌 받는다고 했는데, 천사 같은 성호 형이 왜 이런 잔혹한 벌을 받은 건지 하늘을 원망했다. 그날로 돌아가 형의 귀가를 재촉하는 연락을 하지 않는 상상을 수없이 해봤지만, 이뤄질 수 없는 일이었다. 사고는 이미 일어나버린 과거, 성호가 장애인이 된 건 현실이었다. 살면서 이렇게까지 상심한 적이 있었을까. 아빠와 엄마가 헤어지고, 아빠가 연락을 끊었을 때도 이렇게 아프진 않았었다.

슬픔에 빠졌던 은호는 금세 기운 내야 했다. 이제 은호가 형의 보호자였으니까. 성심껏 형을 돌봤다. 지난 세월 형에게 의지한 만큼, 이제는 형에게 버팀목이 되어주고 싶었다.

"은호야. 혹시라도 죄책감 갖지 마. 나도 학교 도서관보다 집에서 너랑 공부하는 게 더 편했어. 네가 연락하지 않았어도 너 집에 갈 시간에 맞춰서 집에 갈 생각이었어."

성호는 마음 한구석에서 은호를 괴롭히는 죄책감을 눈치채고는 이렇게 말해줬다. 은호는 형이 정말로 날개 없는 천사가 아닐까, 하고 생각했다.

장애를 가진 형을 돌보면서 사는 일상은 생각보다 쉽지 않았다. 아니, 고단했다. 엄마와 번갈아 가며 형을 돌봐야 했고, 정규직으로 일을 구하는 건 현실적으로 불가능했다. 파트 타임으로 일하고 집에 들어오면 성호의 손발이 되어줬다. 힘든 일상이었지만, 형이 은호의 곁에 있어서 괜찮았다.

6년이라는 시간이 흐르면서 성호가 곁에 있는 은호의 일상은 고통이 되었다. 성호는 예민해졌고 은호는 피폐해졌다. 나날이 예민해지던 성호는 급기야 난폭해졌다. 이유도 없이 수시로 은호에게 욕을 하거나 폭언을 퍼부었다.

"이 개새끼."

"왜 그래 형. 뭐가 불편해?"

"이게 다 너 때문이잖아. 너 같은 새끼는 필요 없어. 어릴 때 확 밟아 버렸어야 되는 건데."

"그렇게 말하지 마. 형이 얼마나 나 위해줬는데. 형 덕분에 내가 이렇게 단단해졌어."

"그래. 나 없이는 쥐뿔도 없던 새끼가. 왜 잘난 체냐."

"내가 무슨 잘난 체를 해."

"어디서 대들어? 죽고 싶냐?"

은호는 눈을 뜨면 마주쳐야 하는 성호가 두려웠다. 세상에서 가장 사랑하고 존경했던 형이 불편하고 괴로운 존재가 되다니. 형도 엄마도 잠든 밤, 속상한 마음에 잠 못 이루던 은호가 냉장고 안쪽에서 소주병을 발견했다. 안 마시려고 일부러 깊숙이 숨겨뒀던 소주병인데⋯⋯ 그날따라 소주를 향한 욕구를 이기지 못하고 한 병을 다 마셔버렸다.

이제 그만하고 싶다, 그만해야지. 아빠도 가족을 버리고 갔는데, 나라고 지긋지긋한 이 가족을 버리지 못할 이유가 없다.

아픈 형을 외면하고 은호만의 인생을 살기로 마음먹었다가, 결국에는 형에 대한 초심을 잃지 않겠다고 마음을 다졌다. 은호는 비틀거리는 발걸음을 옮겨 잠든 성호에게 다가갔다. 당장 사랑하고 존경한다고 말해주고 싶었다. 형이 세상에서 제일 멋지다고 엄지를 치켜올리면, 미소를 띤 얼굴로 은호의 머리를 쓰다듬어 줄 것 같았다. 6년 전처럼 말이다. 그러면 다시 힘내서 형을 위해 살 수 있을 것 같았다.

"형. 형, 일어나 봐. 우리 형 사랑해. 내가 존경하는 거 알지?"

성호를 흔들어 깨우자, 성호가 눈을 떴다.

"형. 사랑해."

성호는 은호를 뿌리치고는, 은호의 머리를 사정없이 내리쳤다.

"이 새끼가 어디서 주사야. 정신 안 차리냐. 이 나쁜 놈이 나를 이렇게 만들더니 잠도 못 자게 하네."

"그만해. 제발."

성호의 주먹이 닿는 대로 내버려 둔 채, 그만하라고 사정할 뿐이었다.

몇 대를 그렇게 맞았는지 모르겠다. 어느 순간 가슴 속에서 분노가 일었다. 불같은 감정을 막아내려 주먹을 꽉 쥐었다. 힘이 빠진 성호는 주먹질은 멈췄지만, 여전히 폭언을 쏟아내고 있었다. 악마 같다는 생각이 스친 순간, 은호는 악마의 입을 다물게 하고 싶다는 생각뿐이었다.

"조용히 좀 해!"

은호가 소리치자, 성호는 더 큰 소리로 악을 썼다.

"이 미친 새끼. 죽어라."

은호가 이성을 잃고, 누워있는 성호의 배 위에 올라탔다. 더 이상 욕을 할 수 없도록 입을 틀어막았다. 성호는 입이 틀어막힌 채로 악을 썼다.

"닥치라고 좀. 제발 닥쳐. 이 악마 새끼야."

지겨운 형의 목소리를 그만 듣고 싶었다. 은호는 전력을 다해 성호의 목을 졸랐다.

눈을 떠보니 아침이었다. 은호의 방이 아닌 성호의 방바닥에 누운 채였다. 머리가 지끈거렸다. 겨우 몸을 일으켜 침대에 누워있는 형을 봤다. 안색이 이상했다. 핏기가 하나도 없는데 창백한 건 아니었고 검푸르다고 해야 할까. 써늘함이 은호의 가슴을 스치고 갔다. 성호의 어깨를 흔들었다.

“형. 자?”

대답이 없는 성호의 코에 손가락을 가져다 댔다. 따뜻한 숨이 느껴지지 않았다. 푸른빛을 띤 얼굴은 차갑고 단단했다. 가슴에 귀를 대봤지만 심장 박동 소리가 들리지 않았다.

“형. 일어나. 형!”

인공호흡을 하고 심폐소생술을 했다. 소용없다는 걸 이미 알았지만 죽은 성호를 살려내겠다고 미친놈처럼 울부짖었다. 은호는 잠에서 깬 순간부터 알았다. 지난 밤 자신이 형을 목 졸라 살해했다는 것을. 은호는 곧장 경찰서로 가서 자수했다.

*

3년간 징역을 살고 출소한 날, 은호는 곧장 선릉역으로 갔다. 최규식 원장을 만나기 위해서였다. 초이스 심리상담센터에서는 전문 상담사를 교도소로 파견해서 주기적으로 수감자들을 대상으로 명상 활동과 교육을 했다. 상담을 원하는 수감자는 1대 1로 심리상담을 진행했다. 은호도 상담을 신청해 심리상담을 받아오다가, 지난달에 일리미네잇 대상자로 선정되어 각종 검사 끝에 예약이 확정되었다.

선릉역으로 가는 버스 안, 은호는 줄곧 떨렸다. 이 떨림은 긴장감 때문이라기보다는 기대감 때문이었다. 오랜만에 느끼는 밝은 감정이 낯설었지만 나쁘지 않았다. 일리미네잇을 받으면 살만해질까, 조금은 덜 힘들어질까. 평범한 일상을 되찾을 수 있을까. 그렇게 보통의 날들 속에서 다시금 행복을 느낄 수 있을까? 수많은 물음표가 은호의 마음을 간지럽혔다.

두 시간 넘게 달린 버스에서 내려, 문자로 안내받은 약도를 따라 걸어갔다. 경사진 길을 오르다 보니 이마에서 뜨거운 땀이 흘러내렸다. 잠깐 걸었는데도 입고 있던 티셔츠가 눅눅하게 젖어 피부에 묵직하게 닿았는데도 더위를 느끼지 못했다. 꽤 한참 걸었는데 목적지가 보이지 않았다.

"경사진 길을 지나면 금방이라고 했는데."

잠시 멈춰 서서 주변을 둘러보니, 아무래도 지나친 것 같았다. 방향을 돌려 왔던 길을 다시 걸었다. 천천히 발걸음을 옮기다가 왼쪽에 협소한 골목이 보였다. 긴가민가하며 그 골목 안을 들여다보니 10층짜리 건물이 보였다.

"아, 저기구나."

오랜만에 들뜨는 기분에 발걸음이 빨라진 은호가 순식간에 건물 앞에 도착했다. 엘리베이터에 탄 은호는 거울에 비친 자기 눈에 시선을 맞췄다. 그날 이후로 거울 속 자신을 마주한 건 처음이었다. 천사였던 형을 죽여버린 악마의 얼굴을 볼 자신이 없었다. 가만히 눈을 응시하다가 두려움이 느껴진 찰나, 3층에 도착한 엘리베이터의 문이 열렸다.

"후…"

깊은숨을 내뱉고는 초이스 심리상담센터 문을 열고 들어갔다.

"안녕하세요. 초이스 심리상담센터입니다."

직원들이 일제히 반가운 음성으로 인사했다.

"안녕하세요. 정은호 님이시죠?"

직원이 은호에게 다가서며 물었다.

"네."

"밖에 덥죠? 물 한 잔 드릴까요?"

더운 줄도 모르고 정신없이 이곳까지 온 은호는 그제야 갈증을 느꼈다.

"부탁드립니다."

시원한 생수 한 병을 건네받아 마시자 살 것 같았다. 은호는 직원의 안내에 따라 상담실로 갔다. 상담실 문을 연 은호는 예상치 못한 큰 규모의 방에 압도되는 느낌이었다. 선뜻 방 안으로 들어서지 못하고 있자 방 안에 있던 한 남자가 말했다.

"정은호 씨. 긴장하지 말고 편한 마음으로 들어오십시오. 괜찮습니다."

무표정한 얼굴에 딱딱한 말투였지만, 괜찮다는 말은 왠지 다정한 느낌이었다. 은호가 상담실 안으로 들어갔다.

"여기 제 맞은편에 앉아 주세요. 저는 최규식입니다."

"안녕하세요, 원장님 말씀 많이 들었습니다."

"지난 3년 동안 수감 생활이 답답하지는 않으셨나요?"

"몸이 답답하고 불편했지만, 그보다 마음이 힘들었습니다."

"무엇이 가장 힘들었나요?"

"형에 대한 죄책감 때문에 괴로웠습니다. 엄마에게도 끔찍한 기억과 고통을 준 것 같아서 미안합니다."

지금껏 살면서 느낀 감정 중에 죄책감이 가장 무거운 것이었다. 그 무게는 지난 3년간 은호의 마음을 짓눌렀다.

"사건 당시 기사를 찾아봤습니다."

순식간에 얼굴을 붉힌 은호가 고개를 숙였다.

"제 기사를 안 본 사람이 있을까요."

"기사를 보지 못한 사람이 더 많을 것입니다. 저는

기사를 읽고 안타까웠다고 말하고 싶었습니다."

"형 생각만 하면 저도 안타까워서 미치겠습니다."

은호가 울먹였다. 최 원장이 스크린에 기사를 띄웠다.

<형제의 비극. 6년 돌보던 장애인 형, 목 조른 동생>

형인 B 씨는 2012년 교통사고를 당했습니다. 하반신 마비 판정을 받고 평생 누워서 지내게 됐습니다. 이런 B 씨를 간호한 건 어머니와 동생인 A 씨였습니다. 졸지에 장애인이 된 B 씨가 화를 내고 성질을 부려도 다 이해해야 했습니다. 그렇게 6년이 흘렀습니다.

사건은 지난 5월 벌어졌습니다. 그날 A 씨는 술에 취해 자고 있던 B 씨를 깨웠고, 잠에서 깬 순간 욕을 하며 폭언을 퍼붓자 A 씨는 순간적으로 화가 났습니다. 침대에 누워있는 B 씨의 얼굴을 때렸습니다. 더 이상 욕을 할 수 없도록 몸 위에 올라타 목을 졸랐습니다.

얼마 후 동생은 술에 취한 채 그대로 잠이 들었습니다. 아침에 잠이 깬 A 씨는 형의 상태가 이상하다는 것을 알았습니다. 급하게 형을 살리기 위해 심폐소생술과 인공호흡을 했지만, 형은 이미 숨이 끊어진 상태였

습니다.

은호는 괴로워서 끙끙대다가 결국 울음을 터뜨렸다.

"은호 씨. 괜찮습니다. 외면하지 말고 직면하십시오."

"괴로운데 어떻게 직면합니까. 기억하지 않으려 몸부림쳐도, 꾸역꾸역 외면해도 괴로운데……"

"아픔은 제대로 마주 봐야 비로소 회복되기 시작합니다."

은호는 무겁게 내려앉은 감정이 답답하고 괴로워 가슴을 두드렸다. 최 원장이 입술을 깨물며 울음을 삼키는 은호에게 말했다.

"억지로 울음을 참을 필요 없습니다. 저는 은호 씨가 안타까웠습니다."

은호가 놀란 표정으로 최 원장을 봤다.

"제가요?"

"얼마나 아팠을까. 이 사람이 얼마나 상처받았을까. 죄책감으로 얼마나 마음이 무겁게 내려앉았을까."

최 원장의 말에 겨우 울음을 멈췄던 은호는 다시 울기 시작했다. 형을 살해한 후 괴로워하는 자신의 마음에 공감해 준 사람은 최 원장뿐이었다. 마음을 알아줬다는 것 하나만으로 위로가 되었다.

"고맙습니다. 제 마음을 헤아려주셔서. 일리미네잇

후에는 죄책감을 덜어낼 수 있을까요? 그러면 저는 행복할 수 있을까요?"

"그 무거운 마음을 비우려 애쓰지 않아도 비워질 것입니다."

"일리미네잇 후에 죄책감이나 불안…… 지금 제가 가진 감정을 잊을 텐데 굳이 왜 위로해 주신 건지 궁금합니다."

"위로하고 싶었습니다. 이건 진심입니다."

최 원장이 따뜻한 미소를 지어 보였다. 그리고 말을 이어갔다.

"감정을 지우는 E.E를 통해서는 불안과 공포에 무뎌지는 것입니다. 죄책감이 아니고요. 제 위로로 무거운 죄책감을 조금이나마 덜어드리고 싶었습니다. 무거운 감정이 은호 씨의 마음을 누르고 있는데, 그 무게를 덜어내야 시술 후 온전히 치유 받을 것입니다."

"저는 기억이 아니라 감정을 지우게 되는 건가요?"

"그렇습니다. 상담 기록을 보면, 형에 대한 기억은 좋은 게 더 많더라고요."

"제가 세상에서 가장 사랑하고 의지했던 사람입니다."

"형의 사고 이후 줄곧 불안하셨죠. 지금까지 9년입니다. 9년 동안 형에 대한 미안함 때문에, 은호 씨 자신을 평안에서 멀어지게 했습니다. 은호 씨 무의식이요. 나는 행복하면 안 돼, 나는 편하거나 안심하면 안 돼, 하고요."

"아……"

"불안을 지우면 아팠던 형에 대한 기억은 희미해질 겁니다. 사고 전, 든든하고 자상했던 형의 모습만 뚜렷한 기억으로 남을 것입니다."

"제가 원했던 바네요. 사랑했던 형에 대한 기억을 모조리 잃고 싶지는 않았어요. 형을 기억하고 추억할 자격이 있을지는 모르겠지만……"

"행복하게 살면서 형을 기억하고 추억하세요. 형도 그걸 바랄 겁니다. 형을 그리워하고, 보고 싶다고 울기도 하고, 찾아가서 진심으로 사과하십시오."

"그렇게 하고 싶어요. 형한테 사과하고 싶어요. 그동안은 미안해서, 너무 미안해서 제대로 사과도 못 했어요."

최 원장이 스크린에 계약서를 띄웠다.

"E.E 후 일주일 동안 입원해서 회복한 후에 퇴원하게 될 겁니다. 두통이나 어지러움이 있을 수 있는데, 자연스러운 과정이니 염려하지 마세요. 아, 머리에 작은 상처가 나겠지만 관리만 잘하면 흉터는 남지 않을 테니 그것도 걱정하지 마십시오."

"네. 그렇게 하겠습니다."

은호가 계약서에 사인했다.

준비를 마치고 베드에 누웠는데 벌써부터 마음이 한결 가벼워진 듯했다. 은호의 팔에 연결된 주사를 통해 마취약이 들어가기 시작했다.

은호는 두발자전거 페달을 열심히 밟고 있었다.

"와, 된다. 형아가 잡고 있지? 뒤에서 나 잡고 있어?"

"그래. 잡고 있으니까 걱정하지 말고. 편하게 타. 중심 잡고 천천히. 급할 게 뭐 있냐."

"형아. 잡고 있지?"

"아니. 너 스스로 타고 있는 거야. 은호 대단하다."

살면서 가장 행복했던 순간이었다. 그 순간은 형, 성호가 준 선물이었다. 잠들어 있는 은호의 눈에서 눈물이 흘러내렸다.

"수술은 잘 끝났어요. 은호 씨."

은호가 눈을 뜨자, 최 원장의 얼굴이 보였다.

"잠이 좀 깨나요?"

"예. 좋은 꿈을 꿨어요."

"무슨 꿈을 꾸셨나요?"

"형이요. 성호 형이랑 가장 행복했던 순간을 꿈꿨어요."

"좋은 꿈이네요. 무거웠던 마음이 지금은 어때요? 좀 가벼워졌나요? 편해졌을까요?"

"가벼워요. 편하고 좋아요."

"잘 됐어요. 상담은 종료되었습니다. 이제 당분간 마음 편히 쉬세요. 조급할 것 하나 없어요. 평범한 일상을 편한 마음으로 만끽하세요. 은호 씨의 구직 활동도 제가 마음을 다해 돕겠습니다."

"고맙습니다."

*

올해 스물아홉, 20대의 끝자락에 선 은호는 스스로 20대에 고생을 많이 했다고 했지만, 그런 티가 하나도 나지 않았다. 긍정적이고 단단한 마음가짐이나 20대 초반으로 보이는 동안 외모는 고생은 모르고 사랑만 받고 자란 청년처럼 보이게 했다. 김 매니저는 은호가 고생했다는 게 분명 엄살일 거라고 했다. '벗, 꽃, 나무' 카페에 은호를 보러 오는 여자 손님이 여럿이었다. 190센티에 가까운 큰 키에 준수한 얼굴, 언제나 깔끔하고 단정한 모습으로 묵묵하게 커피를 내리고 있는 모습은 여자 단골을 만드는 큰 비결 중 하나였다. 당사자는 모르는 비결이었지만 말이다.

5. 선아 (E.E)

일주일에 한 번씩은 이곳 '벗, 꽃, 나무' 카페에 와서 한 시간씩 앉아 있다가 가는 여자 손님이 있다. 40대로 보이는 그 손님은 늘 혼자 와서 카모마일을 주문했다. 매번 창가 쪽 자리에 앉아 멍하게 창밖을 보다가 나가곤 했다. 고개가 창가 쪽을 향해 있어 얼굴이 보이지는 않았지만, 어깨가 들썩일 때는 울고 있는 듯했다. 매주 오는 단골이기에 은호도 안면이 있었다. 예약자 명단을 보다가 그 손님의 이름이 '은선아'라는 것도 알게 되었다.

"안녕하세요. 은선아 님. 오늘도 카모마일로 주문해 드릴까요?"

은호가 친절하게 말을 걸어도 선아는 고개만 끄덕이고는 결제를 위해 카드를 내밀었다. 은호를 보러 오는 손님은 아닌 모양이었다.

아침에 예약자 명단을 확인하던 김 매니저가 말했다.

"은선아 님 저녁에 예약되어 있네. 이 손님은 부잣집 사모님일 것 같아. 고상하고 세련된 느낌이 있어. 걱정할 게 없어 보이는데 왜 항상 얼굴이 그늘져 있는 걸까?"

김 매니저의 말에 은호가 웃었다.

"사모님이라고 걱정이 없겠어요? 다 나름의 걱정이 있겠죠."

"내가 말한 걱정은 돈 걱정이야. 돈 걱정만 안 해도 참, 살만할 거야. 안 그래?"

은호가 앞치마를 두르며 말했다.

"오늘도 열심히 일해서 돈 많이 벌어요, 우리. 파이팅!"

카모마일이 담긴 잔을 손에 쥔 선아의 손은 하얗고 가늘었다. 매끈하고 부드러운 피부 결이 돋보였다. 40대 주부의 손으로 보이지는 않았다. 손에 물 한 방울 안 묻히고 살 것 같은 그런 손이었다. 얼굴도 마찬가지였다. 고생이라고는 모를 것 같은 고운 얼굴이었다. 선아가 입고 다니는 옷도 고급스러웠다. 세련된 스타일에 들고 다니는 가방은 고가의 명품이었다. 김 매니저 말대로 돈 걱정은 안 할 것 같은데, 무슨 걱정이나 근심이 저렇게 어두운 얼굴을 만드는 걸까. 은호는 선아를 볼 때마다 안타까운 마음이 들었다. 오늘은 선아에게 달달한 카페모카를 만들어서 서비스로 줄 생각이다. 작은 호의가 따뜻한 위로가 될지도 모를 일이다.

*

선아가 처음 '벗, 꽃, 나무' 카페를 찾은 건 1년 전쯤이었다. 우울증이 심하다는 소견을 받고 초이스 심리상담센터에 다니기 시작했을 그때만 해도 죽고 싶다는 충동 때문에 고민이었다. 무책임하게 엄마로서 의무를 다하지 못하고, 이 세상에 두 아들을 놓고 스스로 생을 마감하게 될까 봐 불안했다.

창문 밖으로 몸을 던져 버리고 싶다는 충동은 11년 전 처음 느꼈다. 선아가 둘째를 낳았을 때였는데, 그때 남편이 지방에서 군의관 복무하느라 떨어져 지냈다. 당시에 네 살이던 첫째는 수시로 떼를 쓰며 울었고, 예민한 둘째도 종일 안고 있어야 울지 않았다. 입주 이모님이 계셨지만 버거웠다.

유난히 두 아이의 잠투정이 심했던 날, 창밖을 보다가 뛰어내리고 싶다는 생각이 스쳤다. 남편과 통화하다가 이런 충동을 느꼈다고 말했다. 그만큼 힘들다는 투정이었다. 힘들지, 내지는 곁에 있어 주지 못해서 미안해, 라는 말을 해줬으면 위로받았을 텐데, 남편은 산후 우울증 같다고 병원에 가보라고 했다. 선아는 됐어, 라고 퉁명스럽게 말하고는 통화종료 버튼을 눌렀다.

그 이후로 괜찮은가 싶다가도 잊을만하면 뛰어내리고 싶다는 생각이 스쳤다. 그 생각은 딸꾹질처럼 일정한 주기 없이 불현듯 나타났고, 한번 시작되면 한동안 멈추기가 힘들었다. 창밖을 바라보다가 그대로 몸을 내던지면, 중력이 없는 허공이었다. 깃털처럼 가볍게 유영하면서 부드럽게 낙하해 바닥에 닿았을 때는 어떤 고통도 불안도 느껴지지 않았다. 이런 짧은 상상을 하고 나면 해소될 만큼이었다. 심각하게 고민하진 않았다. 스트레스가 심할 때 느끼는, 짧게 스치는 생각으로 여길 만큼 연약한 충동이었다. 말 그대로 충동이기 때문에, 곧고 올바른 선아의 의지나 생각과는 상관없는 나쁜 것이라 여겨 감추고 억누를 뿐이었다.

첫째 승유가 중학생이 되면서부터 말을 안 듣고 이상해졌다. 그러면서 선아의 스트레스가 심해졌다. 자꾸만 가슴이 뜨겁고 답답한 게 화병에 걸린 게 아닐까 싶었다. 어깨는 돌처럼 단단하게 굳어져 뻐근했고 그게 목까지 이어져 고개를 돌리는 게 불편했다. 이런 증상뿐이었다면, 버틸만했을 것이다. 문제는 뛰어내리고 싶은 충동이었다. 승유와 싸우고 나면 어김없이 충동을 느꼈다. 두 번이나 창밖으로 다리를 내밀고 난 후에 선아는 더 이상 억제할 수 없게 된 충동이 두려워졌다. 남편은 우울증 같다고 병원에 가보라고 했다. 선아는 우울증? 내가 우울증에 걸릴 이유가 없잖아, 라고 쏘아붙였다.

내가 부족할 게 뭐 있다고, 나처럼 단단한 사람이 우울증은 무슨.

우울증은 말도 안 된다고 생각하면서도, 과연 이 충동이 우울증 때문이라면 왜 이런 병을 갖게 된 걸까 고민했다. 남편이 바빠서? 그래서 외로워서? 라는 이유가 떠오르자 선아는 헛웃음이 나왔다. 대학병원에 교수로 있는 남편은 늘 바빴고 그래서 얼굴 보기가 힘들었지만, 남편은 이유가 아니었다. 연애 때처럼 서로 열렬히 사랑하는 사이가 아니었을 뿐 아니라, 남편 없이 '독박 육아' 하는 건 첫째를 낳았을 때부터 계속된 것이었다. 의사로서 남편의 생활을 이해했다. 아이를 낳기 전까지는 선아도 같은 생활을 했으니까.

첫째를 낳고서 선아는 의사로서의 삶을 잠시 떠나 아내이자 엄마로서 살아가기로 했다. 완전한 행복은 완벽한 가족에서 만들어질 거라는 생각에서였다. 입주 이모님이 살림을 도와주셨지만, 내조와 육아는 전적으로 선아가 맡았다. 사실 내조는 크게 신경 쓸 게 없었다. 남편이 원체 뭐든 알아서 잘하는 사람인 데다가, 아내가 바쁜 남편을 이해해 주는 것만으로도 고마워했다. 덕분에 선아는 전업주부가 된 후 육아에 '올인'했다. 두 아들을 사랑하는 만큼 모든 면에서 뛰어난 완벽한 사람으로 키우겠다는 다짐을 몇 번이나 했는지 모르겠다. 수없이 했던 다짐이 떠오르자 우울감을 느끼게 된 이유를 알 것 같았다. 첫째가 말을 안 듣고 이상해지기 시작하면서부터 불안했다. 아이의 미래가 걱정돼서 미칠 지경이었지만, 정작 아이는 장래나 행복 따위에는 관심이 없어 보였다. 아이의 미래가 엉망이 되면 완벽한 가정은 무너질 거라는 생각이 자꾸만 선아를 흔들었다. 불확실한 미래에 대한 불안이 커지다가 결국 우울감을 느끼게 된 거였고, 죽고 싶다는 충동이 억눌러지지 않았다.

선아는 소위 말하는 엘리트 집안에서 태어났다. 양가 가족 모두 명문대 출신이었고 외가는 대부분 법조계, 친가는 의료계에 종사했다. 선아와 하나뿐인 오빠는 아빠의 뒤를 이어 의사가 되었다. 남편도 오빠의 친한 후배이자 선아의 동기였다.

선아의 부모님은 엘리트 의식이 있었다. 남들보다 우

월한 만큼 완벽해야지, 작은 빈틈이나 흠이라도 보이면 큰일 나는 사람들이었다. 선아는 어릴 때부터 단정하고 빈틈없는 모습이어야 혼나지 않았다.

선아가 초등학교 1학년이었을 때 학교에서 치마에 소변 실수했던 적이 있다. 무더운 여름 날씨에 흘린 땀 냄새에 지린내까지 섞여 실수를 감출 수가 없었다. 그날 엄마한테 회초리를 맞고, 집 앞에서 팬티 바람으로 벌서야 했다. 겨울에도 실수했었는데, 그땐 스타킹만 적신 소변이 치마까지 드러나지 않아 들키지 않을 수 있었다. 여름이면 놀다가 넘어져 까진 무릎을 드러내야 했고, 칠칠치 못하고 덜렁댄다고 혼났다. 그때까지만 해도 유난히 혼날 일이 많은 여름을 싫어했을 뿐이었다. 부모님은 그저 조금 엄격하고 이성적인 분들이라고 생각했다.

부모님이 어렵고 무서워진 건 중학교 때부터였다. 중학교에 입학하고 치른 첫 시험에서 1등을 하지 못하자 아빠가 만취한 모습으로 자고 있던 선아를 흔들어 깨운 일이 있었다.

“내 딸이, 어떻게 내 딸이 1등을 못 해. 우리 집안에서 태어난 이상 무조건 1등이야!”

그날 아빠의 짐승 같은 호통 소리는 선아에게 트라우마로 남았다. 달리기해도, 시험을 봐도 1등을 해야 불안하지 않았기에 1등을 놓치지 않기 위해 노력했다.

유전적으로 좋은 머리, 풍족한 배경, 선아의 성실한 노력, 이 삼박자 속에서 이루지 못할 건 없었다. 부모님이 살아왔던 것처럼, 완벽한 1등은 어디서든 인정받았고, 타인에게 인정받는 우월한 삶은 행복했다. 아이를 낳고 깨달았다. 부모님이 그렇게까지 엄했던 건 자식의 행복을 위해서였으리라.

첫째 아이 승유는 초등학교 때까지는 선아가 그리는 대로 그려진 아이였다. 명문대 출신인 선아와 남편을 닮아 머리가 좋았다. 돌이 되기 전에 말하기 시작하더니 두 돌이 지나자 한글을 읽었다. 세 살부터 놀이학교에 보냈고, 다섯 살부터는 영어 유치원에 보냈다. 놀이학교에서부터 영어를 잘하더니 영어 유치원에 입학할 때부터 탑 반으로 들어가 내내 탑을 유지했다. 똑똑하고 착한 아이를 위해 선아는 뭐든 부족함 없이 시켜줘야겠다고 생각했다. 아직은 어려서 잘 모르겠지만, 두 아이도 나중에 어른이 되면 선아에게 고마워할 것이라고 믿었다. 선아가 어른이 되고 나서 부모님의 마음을 깨달았던 것처럼 말이다.

아이가 소중한 만큼 아이의 시간을 허투루 보내기 아까웠다. 승유는 유치원에서 돌아오면 잠시 쉰 후 과외 수업을 받았다. 월요일부터 일요일까지 빼곡하게 스케줄을 짜서 아깝게 버리는 시간이 없도록 했다. 영어는 과외를 붙여 부족한 부분을 보강했다. 수학도 사고력과 교과 두 가지 학원에 보냈고 부족한 부분은 과외로 보충했다. 그밖에 논술, 과학, 미술, 첼로, 수영, 승마, 코딩, 검도, 농구까지 다양한 수업을 등록해줬다. 다재다능한 아이는 어디서든 자신감이 넘치는 사람으로 자랄 것이라고 확신했다.

아이는 놀면서 자라야 하니까, 바쁜 와중에 틈틈이 놀아줬다. 집 근처 잠실에 있는 놀이공원 자유이용권을 끊어 수시로 데리고 갔고, 아이스링크에 스케이트를 타러 가기도 했다. 승유 친구 엄마들과 약속을 잡아 주말에 세 시간은 무조건 친구들과 놀 수 있게 했다. 부모님은 엄하기만 했지만, 선아는 놀고 싶은 아이의 마음도 생각할 줄 아는 부드럽고 따뜻한 엄마가 되고 싶었다.

남다른 선아의 모성애가 사람들에게도 보였는지, 집안 어른들이나 지인들이 선아를 칭찬했다. 어쩜 이렇게 아들 둘을 잘 키우냐고, 내조에 육아까지 잘한다고, 커리어를 쉬고 가정에 올인한 덕분에 이렇게 가정이 완벽한 거라고, 대단하다고 했다. 선아가 그려온 완벽한 가족의 모습을 인정받자 행복했다. 남편이 대학병원 교수로 잘 나가고, 두 아이가 모든 면에서 뛰어난 모범생이라 행복했다. 거기에 말까지 잘 듣는 효자라니, 두 아이를 생각할 때면 가슴이 충만해졌다.

승유가 6학년이었을 때였다. 동생이 학원 간 동안 둘이서만 데이트하자고 하자, 승유가 오랜만에 환하게 웃으며 좋다고 했다. 영어 학원 수업을 빼고 아이스링크에 갔다. 사춘기에 접어들어서인지 부쩍 짜증이 많아진 승유를 위한 선물이었다. 승유는 링크장 두 바퀴를 돌고 나면 의자에 앉아 있는 선아에게 왔다.

"이거 마시고 빨리 가서 타. 시간 아깝다. 땀나도록 열심히 타. 놀면서 운동도 되니까 얼마나 좋아."

선아는 바로 다시 가서 타라고 재촉했다. 승유는 선아의 말에 따랐다. 한 시간 동안 링크장을 몇 바퀴나 돌았을까, 승유는 샤워한 것처럼 흠뻑 젖었다.

"보람 있다, 그렇지? 놀면서도 땀 흘리면서 운동하니 얼마나 좋아. 우리 승유는 참 성실해."

선아는 성실한 승유가 대견했다. 피곤한 와중에도 이렇게 아이의 여가 시간까지도 챙기는 자신이 꽤 괜찮은 엄마라는 생각에 뿌듯했다. 열심히 놀아 녹초가 된 승유는 차에 타자마자 잠들었다. 십 분 정도를 달려 주차장에 들어서자마자 승유를 깨웠다.

"승유야, 일어나. 다 왔어."

"벌써 집에 도착했어?"

"아니. 수영장. 지난번에 빠진 수업 보강이야. 우리 승유 선수 반 유지하려면 보강해야 해. 코치님이 빠지면 안 된다고 했어."

"엄마, 나 배고파."

"수영 끝나고 집에 가서 먹자. 이모님한테 승유 좋아하는 스테이크랑 파스타 준비해 달라고 했어. 운동하고 먹으면 더 맛있을 거야."

"나 스케이트 한 시간 내내 탔어."

"그건 운동이 아니고. 놀러 간 거였잖아."

"놀러 간 거라고? 난 아이스링크 가고 싶다고 한 적 없는데."

"승유 어릴 때부터 스케이트 타는 거 좋아했잖아. 요새 승유가 공부하느라 힘든 것 같아서, 엄마가 일부러 영어 수업 빼고 링크장 간 거야. 스트레스 좀 풀렸지? 이렇게 좋은 엄마가 어디에 있니?"

"나 힘들어. 오늘은 수영 안 가면 안 돼?"

승유는 울먹였지만, 선아는 승유를 설득했다.

"엄마는 빼주고 싶은데. 지난번에도 빠져서 이번에 보강 안 하면 선수 반 유지할 수 없대. 열심히 해서 선수 반 들어간 건데 못 하게 되면 아깝잖아. 안 그래?"

잠시 생각에 잠겼던 승유가 차 문을 열었다.

"알겠어."

"역시 우리 승유는 최고다. 뭐든 이렇게 열심히 해내니 대견해. 이래서 엄마는 승유를 사랑해. 세상에서 제일 착한 우리 승유."

둘째도 똘똘하고 귀여웠지만, 선아는 역시 첫사랑 승유에게 각별하게 마음이 갔다. 첫째 승유는 만족스러운 아이였다. 초등학생일 때까지는 그랬다.

승유가 중학교에 입학하면서부터 이상해졌다. 주말만 되면 친구들이랑 논다고 나갔다. 초등학생일 때만 해도 허락받고 나가더니, 중학생이 돼서는 막무가내였다. 아무리 자율학기제라고 학교에 시험이 없다고 해도 그렇지, 학생의 본분은 공부인데 자꾸 밖으로 도는 승유가 이해되지 않았다.

"너 이렇게 자꾸 주말 수업 빼먹으면 못 따라가. 지금껏 해온 게 무너져 버리면 안 되잖아. 오래도록 쌓아온 노력이 물거품 되더라도 괜찮아?"

"엄마. 이것도 사회생활이야. 그러니까 그냥 좀 이해해 줘. 어차피 나 선행 많이 뺐잖아."

열심히 공부하고 배워서 모든 면에서 뛰어난 사람이

되면 굳이 사회생활에 애쓰지 않아도 저절로 친구들이 붙을 텐데. 승유는 아직 어려서 그걸 몰랐다. 모르니까 가르쳐야지 하는 생각에 좋게 타일러도 보고 혼내기도 하고, 울면서 호소까지 해봤지만 소용없었다. 선아는 승유가 대체 무슨 생각인지 답답했다.

고민하던 선아는 사춘기 때문이라고 결론 내렸다. 사춘기가 더 심해지기 전에 단단히 잡아야겠다고 생각했다. 지금껏 선아가 알아서 두 아이를 잘 키워왔는데 이제 아빠가 필요한 때였다. 역시 남자애들은 아빠의 훈육이 필요한가 보다. 무서운 중2병에 걸려 돌이킬 수 없어지기 전에 아이를 엄하게 가르쳐 놓자는 선아의 말에 남편도 동의했다.

"승유. 요즘 자꾸 주말 수업 빼먹고 친구들이랑 놀러 다닌다며."

학원에 갔다가 열 시 넘어 집에 들어온 승유가 다녀왔다는 인사도 하기 전에 남편이 다그치듯 말했다. 승유는 차분하게 설명했다.

"주말 수업은 대부분 공부 관련이 아니고 예체능 쪽이라서 굳이 안 해도 되는 거예요. 과외는 엄마가 괜히 저 못 믿고 넣은 것들이에요."

"엄마가 너를 위해서 그러는 거지. 언제 엄마가 허투루 뭐 하는 거 봤어? 그리고 그 애들 공부도 안 하는 애들이라며. 그런 애들이랑 뭐 좋다고 휩쓸려 다녀. 한 번만 더 주말에 놀러 나가면 그때는 정말 아빠한테 혼날 줄 알아."

대답이 없던 승유는 돌아온 주말에도 친구들을 만나러 나갔다. 그날 집에 돌아온 승유는 남편에게 따귀를 맞았다. 놀라서 동그랗게 커진 눈으로 울지도 못하고 온몸을 떠는 승유를 보자 선아는 순식간에 감정이입되어 가슴이 아팠다. 승유의 모습에서 선아의 어린 시절이 보였다. 시험에서 1등 하지 못했다는 이유로 무서운 고함을 밤새 들어야 했을 때, 선아는 딱 이런 표정이었다. 아이가 상처받았다는 걸 알았는데도 괜찮냐는 말보다 다른 말이 먼저 나갔다.

"빨리 아빠한테 죄송하다고 해."

선아가 승유를 품에 감싸자, 승유가 황급히 선아의 품에서 빠져나오며 말했다.

"뭐가 죄송하다는 거야? 친구들 만나서 노는 게 왜 잘못이야? 내가 공부를 안 해? 학원 숙제 잠 못 자가며 다 하잖아. 내가 다 알아서 하고 있는데 왜 그래? 내가 말했잖아. 주말에 하는 건 필요 없는 것들이라고. 운동이나 악기 나는 다 그만두고 싶어. 내가 좋아하는 농구만 빼고 다 그만두고 싶다고 계속 말했잖아."

"어디서 말대꾸야!"

남편이 승유를 향해 손을 들었다. 선아는 아이를 다시 품에 감싸며 말했다.

"여보. 이제 그만해. 이제 알아들었을 거야 우리 승유. 그렇지?"

승유는 답이 없었다.

"앞으로 잘하겠다고 빨리 대답해."

잠시 침묵하던 승유는 선아의 품에서 벗어나며 답했다.

"알겠어. 주말에 친구들 안 만날게요."

그날 이후로 승유는 주말에 약속을 잡지 않았고 원래대로 말 잘 듣는 승유로 돌아왔다. 그렇게 무사히 사춘기를 넘어가는 줄 알았다.

중학교 2학년이 되더니, 승유에게도 예외 없이 중2병이 왔다. 점점 자는 시간이 늘더니 시도 때도 없이 잠을 잤다. 자느라 숙제를 못 하는 건 다반사였고, 심지어 학교나 학원에서도 아예 책상에 엎드려 잔다고 했다. 1학년 때는 친구 때문에 속 썩이더니 2학년이 되어서는 잠으로 속을 썩였다. 설마 했는데 첫 중간고사를 앞두고도 잠만 잤다. 자는 승유의 허벅지를 꼬집었는데, 얼마나 깊이 자는지 승유는 꿈적하지 않았다.

"김승유. 진짜 너무 하잖아. 대체 너는 무슨 생각이야. 어떻게 된 애가 시험인데도 공부를 안 하고 잠만 자고 있어. 뭐가 되려고 그래 너. 우리 승유 어디 간 거야. 착하고 성실한 내 아들 김승유는 대체 어디로 간 거냐고. 엄마가 어디까지 너를 이해하고 참아 줘야 하는 거야."

사춘기에는 아이를 이해하려 노력하고, 참아야 한다고 들었다. 그래서 시험을 앞두고 한 달 넘게 잠만 자도 잔소리 한 번 안 하고 참았다. 시험 전날이 되었는데도 잠만 자는 아이의 모습에 그동안 참았던 잔소리가 폭발했다. 큰 소리로 쏟아낸 잔소리에 승유가 눈을 떴다. 잠이 깨지 않는지 게슴츠레한 눈으로 한동안 선아를 보더니 말했다.

"이제 끝났으면 나가줘."

"뭐라고?"

선아가 소리치자, 이번에는 눈을 부릅뜨며 말했다.

"꺼지라고."

"엄마한테 버릇없이! 왜 그래, 도대체. 뭐가 문제야!"

선아가 큰 소리를 내자, 아이는 더 큰 소리를 냈다.

"엄마 말에 따라야지만 착한 아들인 거잖아. 엄마 생각이나 계획에 조금만 어긋나도 나를 이상한 애 취급하고 불성실한 애로 만들어 버리잖아."

"내가 언제 그랬어. 솔직히 네가 요즘 개판 치고 있는 건 사실이잖아. 학생의 본분이 뭐야! 공부야. 그런데 너는 시험 기간인데 어떻게 잠만 자니?"

"엄마는 잘하고 있어? 엄마는 스스로 좋은 엄마라고 생각하지? 전혀 아닌데. 최악이야. 엄마 때문에 힘들어. 숨이 막힌다고. 당장 뛰어내리고 싶은 거 참고 있으니까 제발 나가."

아이가 문밖으로 선아를 떠밀고 문을 닫아버렸다. 당황스러워서 눈물도 나오지 않았다. 가족을 위해 희생해온 자신의 노력을 몰라주다니. 그동안 얼마나 최선을 다했는데.

반항심에 일부러 뾰족한 말을 내뱉었을 거야. 진심은 아닐 거야. 제대로 잘 키워서 훌륭한 사람으로 만들어야 할 텐데, 이대로 가다가는 공부도 인성도 엉망이 될 것 같은데 어쩌지. 남편에게 말해서 잘 이야기해보라고 해야 할까? 또 아이를 때리면 어쩌지.

수많은 걱정이 선아를 불안하게 어지럽혔다.

내가 더 신경 썼어야 하는데. 내가 제대로 못 가르쳐서 그런 거다. 완벽한 가정을 지키지 못한 건 내가 부족해서다.

불안의 방향이 자책으로 향했고, 선아는 그대로 뛰어내리고 싶은 충동을 느꼈다. 거실 창문을 활짝 열었다.

그대로 몸을 던지면, 허공에 가볍게 떠오를 것 같았다. 창밖으로 다리를 내밀려는 찰나 둘째 아이가 뒤에서 선아를 끌어안았다. 그렇게 위험한 순간을 넘겼지만 언제 또 이런 충동을 느끼게 될지 불안했다.

승유는 그 난리가 난 후에도 방에 틀어박혀 잠만 잤다. 다른 아이들은 다 학교에 갈 시간인데 일어날 생각이 없어 보였다. 또 결석할 모양이다. 소리 지르고 난리를 쳐가며 깨워도 소용이 없으니 어쩔 도리가 없었다. 더 소리를 지르다가는 동네에 소문이 날 테니, 그냥 자도록 뒀다. 남편은 집에만 있지 말고 나가서 바람도 좀 쐬고 쇼핑하면서 기분전환을 하라고 했지만, 그게 다 무슨 소용인가 싶었다. 그런다고 애가 정신을 차릴 것도 아닌데, 이미 모든 게 잘못됐는데…… 이제 아무것도 하고 싶지 않았다.

선아는 멍하게 창밖에 펼쳐진 한강을 바라봤다. 20층에서 바라보는 한강은 물결조차 없이 잔잔해 보였다. 그 자리에 그대로 멈춘 듯한 한강은 선아의 불안을 잠시 잊게 하더니, 이내 이리로 오라고 손짓했다. 20층은 떨어져 죽기에 적당한 높이라는 생각이 들자 흥분되기 시작했다. 당장 창문을 열고 아래로 낙하하고 싶다는 충동을 느꼈다. 창문을 열고 뛰어내리기 위해 다리를 올리다가 이모님의 만류로 실행에 옮기지 못했다.

"카모마일 티예요. 이게 안정에 좋다고 해서…… 승유 엄마, 애가 사춘기 때는 예민해지더라고. 무기력해지고. 우리 애도 그랬어. 한때야. 다 지나가. 그러니까 너무 속상해 말고. 응? 이거 마셔요. 엄마가 흔들림 없이 버텨야지. 그래야지, 애도 돌아와."

이모님이 건넨 따뜻한 카모마일 티를 마셨다. 불안했던 마음을 뒤로하고 한 모금, 두 모금, 그렇게 한 잔을 비워내고 나니 격하게 흥분되었던 마음이 진정됐다. 엄마가 흔들림이 없어야 한다는 이모님 말을 내내 되새기다가 엄마로서 역할을 다하지 못하고 죽어버리는 건 무책임한 사람이나 하는 짓이라는 결론에 다다랐다. 이성으로 제어가 안 되는 충동을 다스릴 방법을 고민하던 중에 언젠가 친한 학부형이 초이스 심리상담센터가 괜찮다고 말해준 기억이 났다. 당장 전화를 걸어 예약을 잡았다.

*

선아는 초이스 심리상담센터에서 1년 넘게 상담받았다. 불안 때문에 생긴 완벽주의와 인정 중독을 성실함으로 포장하고 있었다는 걸 스스로 인정하기까지, 뛰어내리고 싶은 충동을 느끼지 않게 되기까지 1년이 걸렸다. 선아의 불안이 죽고 싶다는 충동을 억제하지 못할 만큼 큰 고민이고 괴로움이라는 걸 이해하지 못하는 사람도 있을 것이다. 결혼하고 출산을 한 후, 두 아이는 선아에게 온 우주였다. 그렇게 선아에게 큰 존재인 아이를 완벽하게 키워내지 못할까 봐 느낀 불안과 두려움은 스스로 생을 끝내고 싶을 만큼 큰 것이었다. 결함이 없이 완전함을 추구하려는 태도, 완벽주의 때문이었다.

"우리 애는 원래 착한 아이예요. 제 말을 얼마나 잘 듣고 따라줬는데요."

"선아 씨 말을 잘 듣고, 시키는 대로 하는 아이가 스스로에게는 착한 사람일까요?"

"엄마 말 잘 듣는 효자는 착한 사람이죠."

"그러니까요. 엄마의 말을 잘 듣는 아이가 아이 본인의 마음에는 착한 사람일까요?"

"……"

"승유는 정말 착한 아이예요. 본인이 괴로우면서도 엄마 말을 들으려 최선을 다해왔잖아요. 그런데 본인은 얼마나 힘들었을까요. 선아 씨가 보기에 만족스럽지 못해도 승유 나름대로 노력하고 있다는 걸 알아주세요."

"맞아요. 제가 어릴 때 그랬어요. 부모님 마음에 들

려고, 혼나지 않으려고 애썼어요. 첫 시험에서 1등 못 했을 때, 아빠가 혼냈는데 그때 정말 무서웠거든요. 그 이후로 1등 하지 못하면, 완벽하지 않으면 불안했어요."

상담 과정을 통해 선아는 승유에게 미안하다 사과했고, 승유가 원하는 대로 농구를 제외한 주말 수업은 다 정리했다. 일상에서도 선아는 변화를 위해 노력했다. 예전에는 잔소리가 나갔을 순간에 참았다. 아이에게 사랑한다고, 그저 건강하고 행복하면 더 바랄 게 없다고 했다. 선아의 마음이 전해졌는지, 승유는 다시 힘을 내 일상생활을 하기 시작했다.

"누구나 다 하는 보통의 생활을 하게 되었다고 기뻐해야 한다니. 어쩌다 이렇게 된 걸까요."

"승유는 최선을 다하고 있어요, 선아 씨."

"제가 또 욕심낼 뻔했네요. 승유가 저를 더 미워하기 전에 초이스에 와서 다행이에요. 그런데 여전히 답답해요."

"뭐가 답답하시죠?"

"아들을 보고 있으면 답답해요. 고맙고 소중한 존재인데 왜 아직도 답답하게 느껴지는지."

"왜 그렇게 답답하세요?"

"애가 이렇게 불성실한데 과연 무슨 일을 제대로 할

지 걱정하다 보면 가슴이 답답해져요. 게다가 제가 나태하게 살아본 적이 없어서 게으른 애를 보고 있는 것 자체가 속 터져요. 차라리 감정을 느끼지 않았다면 이렇게 괴롭지는 않았을 것 같아요."

상담사는 선아에게 일리미네잇을 추천했다. 대상자로 선정되었으니 잘 고민해 보고 결정하라고 했다. 감정에 무뎌지고 싶다고 생각해왔기에, 선아는 오랜 고민 없이 일리미네잇을 받기로 했다. 여러 검사 끝에 일리미네잇 시술 날짜가 2월로 정해졌다.

"선릉역 선결 교회 앞으로 가주세요."

삼성동인 선아의 집에서 선릉역은 금방이었다. 평소에는 답답한 마음을 달래볼까 싶어 걸어 다녔지만, 수술을 앞두고 긴장돼서 그런지 걸을 여력이 없었다. 택시에서 내린 선아가 천천히 발걸음을 옮겼다. 매주 상담받기 위해 가던 길인데 낯선 기분이 들었다. 긴장된 탓일 것이다. 실패율 제로, 부작용도 없다지만 뇌의 일부를 제거하는 시술인데, 혹시 내가 잘못되면 우리 애들은 어쩌지. 심장 박동이 빨라졌다. 평소처럼 1층 카페에 들러 카모마일 티를 마시면 마음을 좀 진정시킬 수 있을 듯한데, 시술 전 열두 시간 금식 때문에 그럴 수 없었다. 심호흡을 하며 3층 초이스 심리상담센터로 들어갔다.

"안녕하세요, 초이스 심리상담센터입니다."

문 앞에 선 선아에게 수지가 인사를 건네왔다.

"은선아 님, 안녕하세요. 긴장되세요?"

"많이 긴장되네요. 내가 잘못되면 우리 애들은 어쩌지 싶어요."

수지가 동그란 눈을 더 동그랗게 뜨며 말했다.

"아니 왜 그런 걱정을 하셨어요. 그럴 일 절대 없으니, 안심하세요."

수지의 말처럼, 그럴 일이 정말로 없기를 속으로 기도하며 최 원장이 기다리고 있는 상담실로 들어갔다.

"여전히 많이 힘드세요?"

"덕분에 좋아지기는 했는데. 아직도 많이 불안해요."

"은선아 님, 감정을 지우시겠습니다, 기억을 지우시겠습니다. 저는 감정을 지우는 시술 E.E를 권하고 싶습니다."

선아가 고개를 끄덕였다.

"제 생각도 그래요. 아이에 대한 기억은 한순간도 지우고 싶지 않아요. 아이와 함께한 모든 순간, 모든 기억이 저에게는 소중해요."

"엄마의 마음이겠죠."

"완벽한 엄마는 아니지만, 엄마니까요."

"선아 씨는 좋은 엄마입니다. 아이를 위해 매 순간 최선을 다하셨잖아요.

"완벽한 엄마가 되고 싶었어요. 아이에게 그 마음이 전해졌을 거라 믿었는데…… 부족했나 봐요."

"완벽할 필요 없이, 선아 씨는 충분히 좋은 엄마입니다. 아이를 위해 이렇게 1년 넘게 상담받고 일리미네잇까지 받기로 결심하신 거잖아요."

"제 마음이 불안정했던 게 아이 때문인 줄 알았는데, 상담받으면서 제 문제라는 걸 알았어요. 저는 원래부터 불안이 큰 사람이었더라고요."

"맞습니다. 선아 씨가 늘 인정받고 싶고, 완벽하고 싶었던 원인은 불안입니다. 인정받지 못하거나 완벽하지 않으면 불행할 거라는 불안이 컸어요. 불안이나 걱정에 무뎌지면 지금보다는 훨씬 마음이 편해질 겁니다."

"네. 그렇게 해주세요. 부탁드립니다. 부작용은 없는 거죠?"

"걱정하지 마십시오. 건강하게 살면서 두 아들에게 좋은 엄마가 되어 주셔야죠."

최규식 원장의 얼굴에 조금은 어색한 미소가 보였다. 긴장하는 선아를 안심시키려고 최 원장도 최선을 다하는 중이었다.

"결심하셨으면 계약서에 사인해 주세요."

"시술받고 감정에 무뎌지면 사랑에도 무뎌지는 건가요? 아이들에 대한 사랑은 무뎌지고 싶지 않아요."

"사랑, 특히 모성애는 그 어떤 감정보다 크고 깊습니다. E.E를 통해 불안과 두려움에 무뎌지는 것이지 모성애는 무뎌지지 않을 겁니다."

"다행이네요. 아이들에게는 사랑이라는 감정만 느끼고 싶어요."

선아가 계약서에 사인했다.

준비를 마치고 베드에 누운 선아의 팔에 꽂힌 주사기로 마취약이 들어가기 시작했다.

승유가 선아를 보며 웃었다.

"엄마는 이 세상에서 제일 좋은 엄마야."

햇살 같은 아이의 미소에 불안했던 마음이 평온해졌다. 선아도 아이처럼 환하게 웃으며 말했다.

"그걸 네가 어떻게 알아?"

"나한테 좋은 엄마면 세상에서 제일 좋은 엄마지."

"고마워. 승유야."

"사랑해 엄마."

"엄마도 우리 승유 사랑해."

감긴 선아의 눈에서 눈물이 흘러내렸다.

"선아 씨. 정신이 드세요?"

최 원장의 목소리에 선아가 눈을 떴다.

"네. 지금 막 깼어요."

"좋은 꿈을 꾸셨나요?"

"네."

"어떤 꿈을 꾸셨어요?"

"승유가 저보고 좋은 엄마라고 했어요."

드디어 퇴원 날이었다. 일주일 동안 선아는 두 아이가 보고 싶어 미치는 줄 알았다. 핸드폰에 저장된 애들 사진을 보다가 초이스 심리상담센터 평점에 4점을 체크 했다. 면회 절대 금지 사항만 없었으면 5점 만점에 5점을 줬을 것이다.

저녁 여섯 시, 예약 시간에 맞춰 선아가 '벗, 꽃, 나무' 카페 안으로 들어갔다. 은호는 카페 안으로 들어온 선아의 얼굴을 보고 좀 놀랐다. 평소와 다르게 선아는 환한 미소를 짓고 있었다. 은호가 인사를 건네기 전에 선아가 먼저 말을 걸었다.

"안녕하세요. 은호 씨. 날이 참 좋네요."

"안녕하세요, 은선아 님. 아직은 추운 겨울이지만, 선아 님에게만큼은 봄이 온 것 같아요."

은호의 말에 선아가 멈칫하더니 이내 봄을 머금은 미소를 지었다.

“맞아요. 이제 저에게 봄이 왔어요.”

“잘됐네요. 카모마일 따뜻한 거, 맞으시죠?”

“아니요. 오늘은 좀 새로운 걸 마셔보고 싶은데. 추천해 주시겠어요? 최 원장님이 은호 씨가 만드는 커피는 뭐든 다 맛있다고 하더라고요.”

“아, 네. 달달한 카페모카는 어떠세요? 한 번쯤 서비스로 만들어 드릴 생각이었거든요.”

“좋아요. 제가 제일 좋아하는 거예요. 그동안 약 때문에 커피를 못 마셨는데, 앞으로는 카페모카 마시러 가끔 올게요. 이제 상담이 종료돼서 매주 오지는 못하겠지만……”

창가 쪽 자리에 앉은 선아가 카페모카를 한 모금 마시고는 은호를 향해 엄지를 올렸다. 잠시 후, 중년의 남자와 두 명의 학생이 카페 안으로 들어왔다. 선아는 여느 때처럼 창가 자리에 한 시간 동안 앉아 있다가 카페를 나섰다. 카페에 있는 동안 선아는 계속 말했고, 세 남자는 선아를 보며 웃었다. 봄이 왔다는 선아는 행복해 보였다.

6. 옥순

영업 시작 전, 수지가 꽃병에 꽂힌 꽃을 교체하기 위해 원장실로 들어갔다.

"굿모닝, 원장님."

"굿모닝."

최 원장이 여느 때와 다를 바 없는 무표정한 얼굴로 인사했다. 꽃병에 꽃을 꽂다가 문득 왜 곳곳에 꽃을 놓은 건지 궁금했다.

"원장실에도 그렇고, 1층 카페에도 그렇고, 왜 이렇게 꽃을 놓으시는 거예요?"

"꽃을 좋아합니다."

최 원장은 여전히 무표정한 채로 답했다.

"원장님은 안 어울리게 꽃을 유난히 좋아하시는 것 같아요."

최 원장은 별 대꾸 없이 수지를 도와 꽃을 교체했다.

"왜 이렇게까지 꽃을 좋아하세요? 저는 그냥 길 가다 꽃이 보이면, 아 예쁘다 하고 마는 정도거든요."

수지는 답을 기다리며, 최 원장의 얼굴에서 시선을 거두지 않았다. 수지의 시선을 의식한 최 원장이 물었다.

"내가 답을 해야 하는 거죠?"

"네."

"꽃은 말이 없어서 좋습니다."

"말이 없어서 좋다고요? 꽃은 당연히 말이 없죠."

"자신의 이야기를 들어주는 것만으로 위로받는다고 하는 사람도 있지만, 그렇지 않은 사람도 있지 않습니까. 그런 사람에게는 무슨 말로든 위로를 전해야 할 때가 있는데, 내 마음과 다르게, 어떤 말로도 위로가 전해지지 않을 때가 있어요."

"네. 그렇죠. 그럴 수 있다고 하셨잖아요. 각자가 가진 생각이나 감정, 느끼는 게 다르니까 당연히 그럴 수 있다고, 제 말이 누군가에게 위로를 전하지 못했다고 해서 크게 상심하지 말라고, 저한테 그러셨잖아요."

"그래서 꽃을 좋아합니다. 꽃은 말이 없어도, 향기와 찬란한 빛깔만으로도 위로가 되더라고요."

"아, 그래서 우리 건물에 오는 사람들한테 위로를 전하고 싶어서, 이렇게 꽃을 여기저기 놓으시는 거예요?"

"그렇다고 하면 이타적이라고, 최 간디라고 부를 거죠?"

"푸하하."

최 원장은 대체로 영혼 없는 로봇 같아서 재미없다가도, 이따금 이렇게 웃길 때가 있었다. 다시 말없이 꽃을 교체하는 데만 집중하던 수지는 귀를 의심했다.

최 원장이 흥얼거리는 소리를 들은 것 같았다.

“원장님? 방금 흥얼거리신 건가요?”

최 원장이 잠시 멈칫하더니 답했다.

“그랬나 봅니다. 저도 모르게.”

“원장님 콧노래 부르는 걸 다 보다니. 원장님 로봇설 아시죠?”

“압니다. 내가 로봇이 아닌 건 알죠, 수지 씨?”

“압니다. 무슨 좋은 일 있으세요?”

“오늘 반가운 분을 만나는 날이라.”

“누구 만나세요? 드디어 소개팅이라도 하시는 건가요?”

“아니요. 전 연애에 관심 없습니다.”

최 원장이 딱 잘라 말했다.

“그렇게까지 철벽 칠 필요 있으세요?”

“연애는 수지 씨부터 하시죠. 오늘 일리미네잇 예약자요. 그분 강연 몇 번 듣고 팬 됐거든요. 유옥순 님.”

“알아요. 그 패피 할머니 말씀하시는 거죠? 제가 인스타 열심히 할 때, 그때 저랑 인친이었던 분인데. 상담하러 오실 때 인친이었다는 건 말 안 했어요. 제 흑역사라……”

“흑역사일 것까지는 없지 않습니까.”

“아시죠? 비밀 지키셔야 하는 거.”

최 원장이 걱정하지 말라고, 유옥순 님 예약 시간이 다 됐으니, 어서 3층으로 내려가라고 했다. 수지가 얼른 꽃을 정리하고 3층으로 내려갔다. 잠시 후, 문이 열렸다.

"안녕하세요, 초이스 심리상담센터입니다."

직원들이 일제히 인사했다. 손녀 현정이 옥순의 손을 잡고 천천히 걸어 들어왔다. 수지가 옥순에게 다가가 인사를 건넸다.

"안녕하세요. 여기까지 오시는데 힘들진 않으셨어요?"

"택시 타고 와서 괜찮았어요. 우리 손녀가 할머니 힘들까 봐. 여기 올 때마다 택시 태워줘요. 참 예쁘죠, 우리 현정이."

"네. 참 예쁘세요. 현정 씨도, 옥순 님도. 잠은 좀 주무셨어요?"

옥순은 죽음에 대한 공포로부터 해방될 수 있겠다는 기대가 마음에 작은 평온을 준 덕분에, 오랜만에 잠을 잘 잤다고 했다. 밤새 평온해졌던 마음이, 이곳 초이스 심리상담센터에 들어서는 순간 긴장되기 시작했다면서 손녀의 손을 꼭 잡았다. 상담실까지 안내하는 동안 수지는 옥순과 인친이었던 수진이라고 말할지 고민했다. 친근감 내지는 반가움으로 긴장되는 옥순의 마음에 힘이 되기를 바라는 마음에서였다. 고민 끝에 수지는 말하지 않기로 했다. 왜 지금은 인스타그램을 안 하는지에서부터 이중생활에 대한 이야기까지, 시작하면 아무래도 말이 길어질 것 같았고, 내담자에게 자신의 흑역사를 고백하는 게 과연 맞는 걸까 싶었다.

옥순이 수지의 안내를 받아 최규식 원장이 기다리는 방으로 들어갔다. 옥순을 보자 최 원장이 자리에서 일어나 인사했다.

"안녕하세요, 유옥순 님. 몇 해 전 옥순 님의 강연을 감명 깊게 들었습니다. 그 뒤로 옥순 님 강연마다 찾아서 들었습니다."

옥순은 떨리는 와중에 반가워서 눈을 반짝였다.

"늙은이 수다가 뭐 그렇게 좋다고. 어쨌든 고마워요."

오랜만에, 정말 오랜만에 생기가 도는 옥순이었다.

"살아있는 것 자체가 행복이라는 말, 인상 깊었습니다."

"살아있다는 것, 그게 행복이라고 여겨 온 만큼 저는 죽음이 두려워요. 이제 죽음이 코앞인 나이인데, 이렇게 무서우니 어쩌면 좋을까요."

"왜 그렇게 죽음이 무서운지 여쭤봐도 될까요?"

"죽음은 불행이거든요. 죽어서 이곳을 떠나면, 남아 있는 사람이 아파요. 죽음 이전의 시간으로 되돌리지 않는 한, 그 아픔은 치유될 수 없어요."

"유옥순 님은 남편과 사별한 후에 삼십 년이 넘는 세월을 잘 살아오셨습니다. 행복을 느끼면서 말입니다."

"아픔이 치유된 게 아니었죠. 외면했을 뿐이에요."

*

올해 일흔여섯이 된 옥순은 현정의 학창 시절부터 친구들 사이에서 유명했다. 현정의 친구들은 옥순을 '키 큰 패피 할머니라' 불렀다. 옥순은 현정이 초, 중, 고를 졸업할 때까지 거의 매일 하교할 때 마중 나갔다. 현정의 친구들은 옥순을 보며 패션을 배운다고 했다. 옥순은 패션 센스를 타고난 데다가 큰 키와 마른 몸 때문인지 어떤 옷을 입어도 태가 났다. 요즘 유행하는 스타일을 입어도, 옥순 나름의 스타일로 입어도 다 어울렸다. 평범한 옷을 아무렇게나 막 매치해도 옥순이 입으면 개성 있거나 세련돼 보였다.

"할머니는 코디 천재인 걸까, 타고난 분위기가 남다른 걸까."

"둘 다? 으하하"

옥순이 호탕하게 웃었다.

"옥순 씨. 배우나 모델 하지 왜 안 했어. 엄청난 스타 됐을 텐데."

현정은 매력 있는 얼굴에 늘씬한 몸매, 패션 센스까지 겸비한 옥순이 젊어서 데뷔했다면, 요즘 가장 '핫'한 블랙핑크 제니쯤 되는 당시의 아이콘이 되지 않았을까 하는 생각을 해봤다.

"우리 때는 딴따라였어."

가끔 이렇게 나이 차이가 실감 나는 순간이 있었다.

"요새는 선망의 직업인데…… 다들 연예인 부러워하잖아. 이럴 때는 세대 차이 난다 옥순 씨랑."

"세대 차이 나는 게 당연하지. 너랑 나랑 나이 차가 얼마냐?"

"옥순 씨는 할머니 같지 않아. 나이 차가 실감 나지 않아."

"고마워, 현정 씨."

"별말씀을요, 옥순 씨."

두 사람은 나이 차이가 반세기만큼이나 났지만, 큰 차이를 실감하지 못할 만큼 대화가 잘 통했다. 옥순의 패션 감각이나 동안 외모뿐 아니라 '할머니' 같지 않은 사고방식 때문이었다. 마음이 열려있는 사람이라고 해야 할까, 그 세대 특유의 유교적이거나 보수적인 생각이 없었다. 이미 지나버린 과거보다 살아 있는 지금에 의미를 두고 살고 싶다는 옥순은, MZ 세대라 불리는 젊은이들의 문화에 흥미를 느꼈다. 옥순은 요즘 유행하는 것들에 대해 아는 게 많았고, 현정은 그런 할머니가 신기했다.

"어떻게 나보다 유행을 더 잘 알아?"

"유튜브나 인스타그램 열심히 공부하잖아. 그리고 내가 핫플 다니는 거 좋아하잖냐. 거기 앉아서 사람 구경도 하고, 기회 봐서 사진도 찍어달라고 해. 그러다 보면 대화를 나누게 될 때가 많아. 보고 듣다 보면 알게 돼."

"처음 본 사람한테 사진 찍어달라고 한다고?"

"나 ESTP, 활발한 인싸야."

할머니 입에서 인싸라는 말까지 나오다니, 현정은 웃음이 났다.

"자기 MBTI 아는 70대는 우리 옥순 씨뿐일 거야."

"숫자로 매겨지는 나이가 뭐 대수냐. 마인드가 청춘이면 그게 청춘인 거지. 나는 청춘이야."

옥순은 인스타그램을 했다. 처음에는 현정이 인스타그램 앱을 깔고 가입해줬는데, 언제부턴가 스스로 이용법을 터득해 사진을 올리기 시작했다. 옥순은 매일 오오티디(ootd, outfit of the day)를 올렸다. 현정에게 전신샷을 찍어달라고 하는 날도 있었지만, 대부분 현관에 있는 전신 거울 앞에서 거셀을 찍었다. 5년 동안 열심히 인스타그램을 하더니 옥순 계정의 팔로워 수는 1만을 넘었다. 70대 할머니가 인스타그램을 꾸준히 한다는 것도 이목을 끌었지만, 특히 옥순의 패션 센스가 인기였다. 옥순은 인스타그램을 통해 여러 제의를 받아 잡지사 몇 군데에서 인터뷰했고, 옥순만의 코디법이나 젊음의 비결에 대해 강연했다. 옥순은 가끔 진행되는 특별 강연은 했지만, 전문 강연자로서의 제안은 거절했다. 들어오는 제품 협찬도 모두 거절했다. 즐길 수 있는 딱 이 정도의 관심과 흥미가 적당하다고 했다.

"옥순 씨. 다 하지 왜 거절해. 돈 많이 벌 수 있을 텐데."

"미술 가르치면서 벌어 놓은 돈도 충분하고, 네 할아버지 목숨값으로 받는 연금도 나 죽을 때까지 매달 꼬박꼬박 들어오니까 더 안 벌어도 돼. 지금 이대로 행복한데 그 이상을 욕심내면 행복하지 않을 거야. 원래 딱 적당할 때 가장 행복한 거야."

"우리 할머니지만 정말 멋지다. 객관적으로!"

"고마워요, 현정 씨."

"별말씀을요, 옥순 씨."

마흔 되던 해에 옥순은 과부가 되었다. 당직 중 심장마비, 예상할 수도, 그래서 미리 대비할 수도 없었던 갑작스러운 죽음이었다. 남편이 죽었다는 연락받았을 때, 옥순은 온몸이 단단하게 굳어버리는 느낌이었다. 죽음이란 것이 남편뿐만 아니라 옥순까지 뒤덮은 듯한 낯선 느낌이었다. 죽음에 덮여 핏기없이 차가워진 남편을 상상하는 것만으로 소름 끼쳤다.

평생 곁에서 함께할 줄 알았던 남편이 더 이상 이 세상 사람이 아니게 된, 그 차갑고 시퍼런 모습을 마주하자 순식간에 여러 감정이 요동쳤다. 남편을 잃었다는 슬픔, 졸지에 과부로 살아가야 할 앞날에 대한 불안, 그리고 여생의 것을 한꺼번에 담은 듯 몰아친 그리움이 두서없이 뒤섞였다가, 결국에는 두려움으로 닿았다.

"무서워."

외마디를 비명처럼 내뱉고는 그대로 주저앉았다. 장례를 치르고 사흘 만에 돌아온 집은 그대로였다. 남편의 역사가 담긴 흔적이 변함없이 옥순의 곁에 있었다. 현관에 놓인 남편의 낡아빠진 타이거 운동화, 칫솔꽂이에서 유독 눈에 띄는 솔이 활짝 열린 남편의 칫솔, 그 옆 선반에 고이 놓인 면도기, 출근 전 갈아입고 대충 둘둘 말아 침대 아래쪽에 던져놓은 남편의 잠옷, 남편이 누웠던 베개에 오목하게 남은 머리 자국마저도 그대로였다. 옥순과 연애할 때 타이거 운동화를 새로 샀다며 자랑하던 미소, 칫솔 좀 바꾸라고 해도 잘만 닦이는데 뭘, 하고 지어 보였던 멍청한 표정, 옥순이 생일 선물로 준 전기면도기를 얼굴에 대고 광고 흉내 내며 만들었던 우스꽝스러운 얼굴, 갈아입고 나면 정리해놓고 나가라고 잔소리할 때마다 옥순을 더 짜증 나게 했던 태평한 표정이 눈앞에 보이는 듯했다. 이상하게 평온함을 느꼈다.

남편의 영혼은 하늘로 떠나가고, 커다랗던 몸은 한 줌의 가루가 되어버렸는데, 왜 마음이 잔잔해지는 걸까. 말도 안 되는 감정에 대해 고민하다가 그대로 잠들었다. 장례 기간 내내 우느라 제대로 잘 수도 없었던 옥순은 그렇게 편해진 마음을 품고 긴 시간을 잤다. 거의 하루를 다 자고 일어나서는 마음에 품은 안정감을 더 이상 의심하지 않고 붙잡기로 했다. 당장 살아야 할 현실이 있었기에, 그래야 살아갈 수 있었기에 죽음에 대한 공포를 그렇게 외면했다. 곧장 잘되지 않았지만, 굳은 의지로 외면하니 어느새 외면되었다. 시간이 약이라는 말이 정말 맞는 건지, 죽음에 대한 두려움은 처음엔 컸지만, 시간이 지나자 무뎌지더니 어느 순간에는 잊혔다. 잊은 듯했다.

옥순은 젊은 나이에 갑작스레 과부가 되어 홀로 아들을 키워야 했지만, 그런 아픔이나 시련은 경험해 보지 않은 사람처럼 밝았다. 현정은 수시로 행복하다고 말하는 옥순을 보며, 할머니는 타고난 '행복 유전자'가 많은 사람인가? 하는 생각을 해보기도 했다.

"옥순 씨는 어떻게 이렇게 항상 행복하대?"

"살아 있잖아. 이렇게 살아서 많은 걸 보고 듣고 만지고 느낄 수 있는데 행복하지 않을 게 뭐가 있어. 세상에 재밌는 게 너무 많아. 나는 새로운 걸 알아가는 게 그렇게 신나고 행복하더라."

살아있다는 것, 그 자체가 행복인 옥순이었다. 올해 초까지는 그랬다. 옥순이 일흔여섯이 되고 며칠이 지나지 않은 어느 날부터 갑자기 방에 틀어박혀 나오지 않았다. 인스타그램에 매일 업로드하던 '오오티디'사진도 멈췄다. 현정이 이유를 물어도 답하지 않았다.

"왜 요새 인스타그램 안 해? 댓글들 좀 봐. 팔로워들이 다 걱정해. 나도 걱정돼."

"부질없어."

"유튜브도 안 봐?"

"재미없어."

몸이 아픈 거냐고 물어도 별말이 없었다. 옥순이 좋아할 만한 옷을 사다 줘도 거들떠보지 않았다. 옷이라면 자다가도 벌떡 일어나 당장 입어볼 만큼, 그야말로 옷에 '환장'하던 사람이 방에 틀어박혀 티브이 채널만 돌렸다. 유튜브나 인스타그램을 볼 때처럼 흥미를 갖고 신이 나서 집중한 게 아니라, 아무 생각 없이 시간을 소비하기 위해 영혼을 티브이 속에 가둬버린 것이었다.

생각도 감정도 무시하고 흘러가는 시간에 몸을 맡기기에 티브이만 한 게 없었다. 살아있는 것만으로도 행복하다던 옥순은 행복을 잊은 얼굴이었다. 현정이 보기에 옥순은 우울했다. 옥순 스스로는 우울하다는 생각조차 티브이로 차단하고 있었지만 말이다. 옥순 옆에 앉아 포털사이트나 SNS에 심리상담센터와 정신건강의학과를 검색하고 후기를 찾아보던 현정이 말했다.

"옥순 씨 마음 아픈 거 내가 고쳐줄게. 우리 다 같이 행복하게 살자, 할머니."

'행복'하게 '살자'라는 두 단어가 티브이에 갇혀있던 옥순의 영혼을 꺼냈다. 옥순이 고개를 돌려 현정을 봤다. 촉촉하게 젖은 현정의 눈과 마주치자, 옥순도 눈물이 나기 시작했다. 눈물로 범벅이 된 얼굴을 끄덕였다.

"그래. 그러자."

현정과 함께 한참을 검색해 보다가,

"행복을 위해 아픔을 치유합니다."

라고 적힌 문구가 눈에 들어왔다. 초이스 심리상담센터 사이트에 최규식 원장이 자기 소개란에 적어 놓은 한 줄이었다. 옥순이 여기가 좋겠다고 했다. 우울증이나 다른 심리적인 증상을 치료받고 호전되었다는 후기는 많았지만, 행복을 위해 아픔을 치유한다는 말이 옥순의 마음을 움직였다.

초이스 심리상담센터에 6개월간 상담을 다니며 옥순이 우울하고 무기력해진 건 죽음 포비아 때문이라는 것을 알게 되었다. 오래전 남편의 죽음 앞에서는 외면했던 죽음에 대한 공포가 얼마 전까지 사랑했던 연인의 죽음 앞에서는 외면되지 않았다. 죽음에 대한 공포가 옥순이 감당하기 벅찬 불안을 만들었고, 우울증까지 앓게 되었다.

옥순은 2년 가까이 연애했다. 연애를 비밀리에 할 생각은 없었지만 그렇다고 드러낼 생각도 없었기에 현정을 포함한 가족은 옥순의 연애를 몰랐다. 연애 초반에 현정이 평소보다 잦은 외출을 하는 옥순에게 혹시 연애하냐고 물었던 적이 있었다. 그때 옥순은 그저 웃었다. 긍정도 부정도 하지 않던 옥순의 웃음은 현정의 물음에 예스라고 한 것이었다.

옥순이 근수를 만난 건 어느 강연에서였다. 행복을 주제로 한 강연이었는데 옥순과 근수 모두 강연자로 참석했다.

"새로운 것에 대한 설렘이 행복이 되는 지금 이 순간이 청춘이다."

강연이 끝난 후에 근수가 옥순에게 먼저 말을 걸어왔다.

"나이는 숫자에 불과하죠. 강연 내내 공감했습니다."

"고마워요."

일흔넷 옥순과 일흔셋 근수, 각자가 생각하는 청춘의 한가운데에서 만난 두 사람은 첫 만남부터 호감을 느꼈다.

근수는 에세이 작가였다. 40대에 부인과 사별하고 글을 쓰며 아픔을 잊어 왔다. 글을 쓰는 사람은 젊은 감각이 살아있어야 한다더니 근수가 그랬다. 옥순만큼이나 젊은 세대의 문화를 잘 알았고, 관심이 많았다. 옥순은 남자 유옥순을 만났다며 좋아했다. 근수는 옥순

만큼 마인드가 젊었고, 두 사람 다 사별의 아픔을 겪어 봐서 그런지 말하지 않아도 통하는 깊은 유대감이 있었다. 게다가 근수는 키가 컸다. 그에게 물어본 적은 없지만 185센티에 가까워 보였다. 자기 관리 잘하는 키 큰 남자, 옥순의 이상형에 가까웠다. 근수는 어깨도 넓고 배가 나오지도 않았다. 건강을 위해 매일 새벽 등산하고, 저녁에는 헬스장에 다닌 게 비결이라고 했다. 옥순은 자기가 도울 테니, 근수도 인스타그램 계정을 만들어 운동 릴스를 찍어서 업로드 해보라고 했다. 근수는 카메라 울렁증이 있다고, 생각해 보겠다고 했다.

옥순이 근수에게 딱 한 가지 마음에 안 들었던 점은 패션 센스가 부족하다는 것이었다.

"근수 씨는 멋진데, 그 옷. 옷이 너무 할아버지 같아."

"할아버지지 뭐."

"내가 골라줘도 돼?"

"좋지."

옥순은 근수에게 어울리는 옷을 코디해 주며 즐거웠다.

70대에 하는 연애는 달콤했다. 달콤, 좀 진부하지만 딱 적당한 표현이었다. 근수를 만나기 전 옥순은 행복했지만, 그러면서도 마음 깊이 존재하는 고독, 그로 인한 작은 결핍은 원래 인간에게 당연히 존재한다고 생각해왔다. 근수를 만나며 결핍이 채워졌고, 그러면서 느낀 충만한 행복은 포근하고 달콤했다. 쓴 약을 먹으면서도 달콤하다 느낄 만큼이나. 마흔이 되면서 잊었던, 그 달콤함에 젖어 오래 살고 싶다는 욕망이 생겼다. 혼자가 되었던 마흔부터 근수를 만난 일흔넷까지, 딱 삼십사 년을 더 살면서 그간 못 누린 평온을 만끽하고 싶었다. 그 마음을 담아 매일 밤 간절히 기도했다. 오래오래 살게 해달라고. 날 때부터 주어진 수명보다 더 살게 해달라고.

"지금 이대로 행복한데 그 이상을 욕심내면 행복하지 않을 거야. 원래 딱 적당할 때 가장 행복한 거야." 언젠가 손녀 현정에게 했던 말이 맞았다. 근수와 함께하는 삶을 욕심 내게 된 지 2년 만에 그가 세상을 떠났다. 일주일 넘도록 근수와 연락이 안 된 옥순은 요즘 말로 잠수 이별을 당한 줄로 알았다. 이런 못된 사람. 참다, 참다 욕을 내뱉는데 카톡 알람이 울렸다.

[안녕하세요. 저희 아버지와 가깝게 지내신 것 같아 연락드립니다. 유품을 정리하다가 아버지 핸드폰을 확인하고 연락드립니다]

자다가 갔다고 했다. 근수 나이 일흔다섯, 떠나기에 조금 이른 감이 있지만, 그렇다고 아주 이상하지는 않은 나이였다. 아무리 그래도 이렇게 갑작스럽게 떠나다니…… 두 번이나 사랑하는 사람과 이별하게 될 줄이야. 차라리 잠수 이별이었으면 나았을까. 사별이라니…… 근수가 죽었다는 소식을 들었을 때, 옥순은 온몸이 차갑고 단단해지는 듯했다. 이 느낌, 처음이 아니었는데도 생경하게 다가왔다. 다리에 힘이 풀려 그대로 바닥에 주저앉은 옥순의 몸이 사정없이 떨려왔다. 속삭이듯 외마디를 내뱉었다.

"무서워."

행복이 충만해지더니 넘치게 되자 결국에는 감당하지 못하고 뻥 터져 버렸다. 넘치는 공기가 주입되면 터지고 마는 풍선처럼 말이다. 터진 후에 사방으로 흩어진 풍선 조각처럼, 이제 옥순은 온전한 옥순이 아니었다. 더 이상 단단하고 밝은 원래의 자신이 아님을 깨달은 순간 다시 두려웠다. 죽음이 죽을 만큼 두려워 움직일 수 없었다. 가슴 아픈 이별을 경험하게 하고, 한순간에 행복을 앗아 가는 죽음이 너무나 무서웠다. 내가 죽으면 현정이가, 식구들이 슬플 텐데. 그런 생각을 하면 가슴에 쓰라린 통증이 느껴졌다. 혼자 침대에서 데굴데굴 굴러가며 그 통증을 고스란히 느껴내는 것밖에 할 수 없었다. 숨이 넘어가는 그 찰나에는 얼마나 숨이 막힐까, 얼마나 고통스러울까 생각하면 당장 그 순간이 된 듯 숨이 막혔다. 눈을 감았는데도 초점 없는 뿌연 동공을 맞춰오는 근수와 남편 때문에, 눈을 감는 것도 두려웠다.

근수의 죽음으로 실감한 공포에 더해 남편의 죽음 이후 외면해 온 공포까지 폭포수가 되어 쏟아져 내렸다. 일흔여섯, 생(生)보다는 사(死)에 가까운 나이, 죽음을 맞이하게 될 순간이 머지않았는데, 도무지 인정되지 않았다. 무슨 일이든 해서 죽음으로부터 도망치고 싶었는데, 그럴 방법이 없다는 걸 알기에 무기력해질 뿐이었다. 옥순은 죽음에 대한 두려움을 털어놓기 어려웠다. 죽는다는 말이나 죽음이라는 단어를 입 밖으로 내뱉는 순간 그것이 현실이 되어 옥순에게 곧장 올 것만 같았다.

6개월 동안 상담받으며 이제 현정이나 상담사에게 죽음이 무섭다는 걸 이야기할 수 있을 정도는 되었다. 상담을 종료했는데도 여전히 죽음이 두려웠고, 일리미네잇 추천을 받아 3월 대상자로 최종 예약되었다.

*

최 원장이 물었다.

"유옥순 님. 남편분이나 박근수 님이 세상을 떠나셨다고 마음에서도 지워졌나요?"

"아니요. 남편도 근수 씨도 제 마음속에 있습니다."

"마음속에 존재하는 두 분은 언젠가 옥순 님의 마음에서 떠나게 될까요?"

"사랑했던 사람이 어떻게 제 마음에서 떠나겠어요. 제 마음의 일부가 되어 영원하겠지요."

최 원장이 고개를 끄덕였다.

"그렇습니다. 옥순 님 말씀대로 죽어도 영원한 것입니다. 서로 사랑했던 사람의 마음속에서는 영원히 살아있는 것입니다."

옥순은 잠시 생각에 잠겼다가, 천천히 고개를 끄덕였다.

"그렇네요. 마음속에 영원히 살아있는 거였어요."

"살아있다는 것 자체가 행복이라고 하셨어요."

"네."

"꼭 이 세상에 살아있어야만 행복한 걸까요?"

옥순이 눈을 끔벅였다. 잠시 생각에 잠겼던 옥순이 답했다.

"죽지 않고 살아있다고 해도, 사랑하는 사람이 내 마음에 살아있지 않는다면 행복하지 않겠네요."

"사랑하는 사람이 마음속에 함께 살아있는 것, 그것이 옥순 님의 행복이겠군요."

"그런 것 같아요."

"옥순 님 마음속에 남편분과 박근수 님이 여전히 살아있다고 하셨어요. 행복하신 거죠?"

"네, 행복해요."

"여전히 죽음이 두려운가요? 아무것도 하지 못할 만큼, 그렇게까지 무기력해질 만큼이나?"

"무서워요. 원장님은 무섭지 않으세요?"

"저도 무섭지만, 무기력해질 만큼은 아닙니다."

"저는 왜 이렇게 죽음이 무서운 걸까요?"

"가까운 사람의 죽음을 옆에서 보셔서 그 불안이 더 커지셨을 겁니다. 그런데 죽지 않는 사람이 있나요? 남편분이나 근수 씨만 죽게 된 게 아니라, 모두가 언젠가는 죽습니다. 죽음은…… 그날, 그 순간에 죽게 될 운명은 우리가 애쓴다고 해서 바뀌지 않습니다. 그냥 편하게 생각하세요. 그런가 보다, 내가 불안해한다고 달라지는 건 아니겠구나, 자연스러운 현상이구나. 하고."

최 원장이 평온한 미소를 지어 보였다.

"원장님 말씀이 좀 뻔하고 단순한 말이기는 한데, 그

말이 위로됐어요. 죽음이 무섭지 않은 건 아니지만, 다시 힘내서 살아가 볼게요. 저는 여전히 살아있으니까요."

"그렇다면 옥순 님은 감정을 지우시겠습니까, 기억을 지우시겠습니까."

최 원장의 물음에 옥순은 한동안 아무 대답도 하지 않았다. 한참 동안 생각에 빠졌던 옥순이 결심한 듯 입을 열었다.

"적당할 때가 제일 행복해요. 넘치지도 부족하지도 않게 딱 적당할 때요. 제가 가진 기억이나 감정은 이제 넘치지도 부족하지도 않아요."

최 원장은 좀 놀란 표정으로 물었다.

"시술을 진행하지 않겠다는 말씀으로 들리는데, 괜찮으시겠어요?"

"지금으로선…… 괜찮을 것 같아요."

"언제든 시술을 원하시면 다시 예약하시면 됩니다. 죽음에 대한 두려움이 커지면, 다시 상담하러 오셔도 됩니다."

"고맙습니다."

옥순이 현정의 손을 잡고 건물 밖으로 나왔다.

"옥순 씨. 컨디션은 좀 어때?"

“좋아.”

“우리 오랜만에 옷 사러 갈까?”

“그래. 가자. 강남역 지하상가에 가볼까? 여기서 지하철로 두 정거장만 가면 돼.”

“콜!”

“오랜만이다. 설레는 거.”

두 사람이 지하철역으로 걸어갔다.

7. 정욱 (E.E)

정욱은 하루도 빠짐없이 퇴근을 서둘렀다. 카센터 직원들은 집에 숨겨놓은 보물이라도 있냐고 물었다.

"그럼. 보물 있지."

결혼은 포기하고 살았던 정욱은 서른여섯에 기대하지 않았던 선물처럼 아내 은정을 만났고, 마흔이 되기 전에 두 딸의 아빠가 되었다. 정욱에게 보물은 가족이었다. 행복을 알게 해준 보물, 그 보물을 소중하게 지키는 것이 삶의 이유였다. 일이 고되더라도 버틸 수 있는 건 가족 덕분이었다.

퇴근길에 집 앞 슈퍼에 들러 아이들이 좋아하는 과자를 샀다. 아내 은정이 좋아하는 붕어 모양 아이스크림도 잊지 않았다. 벨을 누르면 집안에서 아이들이 "아빠다."라고 외치며 달려 나오는 소리가 들렸는데, 그 소리가 하루의 시름을 덜어줬다.

"당신은 열쇠도 있으면서 왜 굳이 벨을 눌러?"

은정은 매번 잔소리했지만, 정욱은 두 딸이 반기는 소리가 좋아 하루도 빠지지 않고 벨을 눌렀다. 딩동.

"아빠."

"아빠다!"

두 아이가 소리쳤다. 문이 열리자마자 두 딸이 뛰어

나와 정욱에게 안겼다.

"땀 냄새나."

"괜찮아. 아빠 냄새 좋아."

첫째 희수가 정욱의 목덜미에 코를 대고 킁킁거렸다. 아이의 숨결이 정욱의 피부에 닿자 가슴속 깊은 곳이 뜨거워졌다. 행복이 충만해서 더 이상 바랄 게 없는 이런 순간을 매일 누렸다. 마음 가득 찬 행복이 수시로 울컥하고 감동으로 넘쳐 올라왔다.

"아빠 울어? 슬퍼?"

둘째 정수가 눈물 맺힌 정욱의 눈을 보며 물었다.

"많이, 아주 많이 행복해도 눈물이 나. 아빠도 우리 보물들 덕분에 알았어."

가족을 위해 뭐든 해주고 싶었다. 살면서 고난이나 아픔이 없을 수 없겠지만, 그런 건 다 정욱이 버팀목이 되어 막아주고 싶었다. 이런 게 가장의 마음일까 싶었다.

"아빠 오늘도 과자 사 왔어?"

"그럼. 공주님들 먹으라고 사 왔지."

"밥 다 먹었어."

"나도."

"그래. 잘했네. 이제 과자 먹어도 되겠다."

아이들이 각자의 몫을 받아 들고 거실로 뛰어 들어

갔다. 현관에서 요란스러운 두 딸의 환대가 끝나자 비로소 정욱이 신발을 벗고 집 안으로 들어갔다.

"뭘 굳이 벨을 눌러?"

은정은 습관적인 멘트를 날리면서도 싫지는 않은 표정이었다.

"자. 여기 당신 좋아하는 거."

정욱이 붕어싸만코가 담긴 검은 비닐봉지를 내밀었다.

"와. 붕싸다."

"붕싸?"

"응. 붕어싸만코."

이상한 줄임말에 웃음이 터진 두 사람이었다.

"요즘 애들은 이렇게 줄여 말한다더라고."

"재밌네."

은정은 붕어싸만코를 받아 냉동 칸으로 넣었다.

"지금 먹지 왜?"

"냉동 칸에 붕어싸만코가 쌓인 걸 보면, 부자 된 기분이야. 당신이 나 부자 만들어주네?"

은정이 웃었다. 고작 500원짜리 아이스크림을 받으면서 이렇게 좋아하다니. 정욱은 그런 은정이 귀여워 보였다.

"내가 더 열심히 벌어서 당신 진짜 부자 되게 해줄

게.”

“그래요. 고마워요.”

단란하고 소소한 행복을 마음에 쌓다 보니 세월이 금세 흘렀다. 정욱은 쉰을 훌쩍 넘겨 환갑을 바라보는 나이가 되었다. 첫째 희수는 대입을 앞두고 있었다.

*

매일 술만 마시는 아버지는 가장의 역할을 포기한 지 오래였다. 어머니가 남의 집에 파출부 일을 다니며 가장 노릇을 했다. 아버지는 술에 전 사람이었다. 대체로 술 냄새를 풍기며 방구석에 처박혀 잠만 잤다. 깨어 있는 얼마 되지 않는 시간 동안은 난폭하게 욕설을 내뱉고, 물건을 이리저리 내던졌다. 정욱과 어머니는 아버지와 마주치지 않기 위해 노력했다. 아버지와 마주치는 날에는, 가정폭력의 대상이 되었다. 정욱은 아버지가 차라리 아무것도 안 하고 잠만 잤으면 하고 바랐다. 그 바람이 얼마나 간절했던지, 아버지는 간경화로 제대로 치료받지도 못하고 영원히 잠들었다. 제대로 얼굴을 마주 보거나 대화한 날이 없었으니, 아버지가 병들어 죽어가고 있다는 걸 몰랐다. 정욱은 아버지에게 미안한 마음이 들었지만, 그보다는 안도감이 더 컸다. 이제 좀 살만해지겠구나, 하고 안심했다.

정욱은 고등학교를 졸업하자마자 자동차 정비소에서 일하면서 기술을 배웠다. 월급이 많지는 않았지만, 두 식구가 먹고 살만큼은 벌었다. 이제 어머니도 일을 쉴 수 있게 되었고, 제대로 된 가장 노릇을 할 수 있겠다며 느낀 작은 기쁨도 잠시, 어머니가 갑작스럽게 세상을 떠났다. 어머니도 아버지처럼 자신이 병들어 죽어가고 있다는 걸 모르고, 하루하루를 버티듯 살아왔다. 정욱은 이게 다 가난 때문이라고 생각했다. 가난이 괴로워 몸부림치다가 술을 마시기 시작한 아버지, 아버지 대신 가장이 되어 평생 고생만 하다 간 어머니, 부모의 갑작스러운 죽음 앞에서 제대로 슬픔을 느끼지도 못할 만큼 무미건조해진 정욱의 삶은 결국 가난 때문이었다.

가난이 싫어 열심히 일했다. 매일 열심히 일하다 보면, 가난을 벗어날 수 있을 것이라 믿었다. 아버지가 반평생 탐닉하던 알코올은 당장의 쾌락은 줬지만, 가난과 멀어지게 해주지는 않았다. 노동은 달랐다. 열심히 하는 만큼 돈이 모였고, 가난으로부터 멀어지기 위한 발걸음 정도는 내디딘 느낌이었다.

일하기 위해 사는 사람처럼 열심히 일해 서른에 카센터를 차렸고, 금방 자리를 잡아 돈을 잘 벌었다. 몇 년 동안 모은 돈을 지인이 추천한 종목에 투자했는데, 생각보다 크게 불었다. 주변에서는 더 투자해서 더 크게 벌라고 했지만, 정욱은 과유불급이라며 주식을 모두 팔아 카센터 근처에 20평대 집을 사고 나머지는 현금으로 챙겼다.

카센터 맞은편 내과에서 간호사로 일하던 은정을 그 무렵에 만났다. 잔병치레가 많아 밥 먹듯 내과를 찾았고, 자주 마주치다 보니 정이 들어 연애하고 결혼까지 했다. 정욱보다 여섯 살이나 어리지만 현명하고 포근한 은정을 만난 건 세상으로부터 처음으로 받은 선물이었다.

*

첫째 희수가 중학교 졸업을 앞두고 유학 어쩌고 떠들어대자 은정이 우리 집에 유학 갈 돈이 어디에 있냐며 나무라는 걸 보고는 며칠 동안 고민했다. 예금으로 묶어뒀던 돈에 집을 팔고, 지금껏 그랬던 것처럼 매일 열심히 일하면 두 아이 대학 입학할 때까지는 지원해 줄 수 있을 것 같았다. 정욱이 은정과 두 딸을 불러 앉혔다.

"우리 가족의 행복이 나의 행복이라는 거 알지?"

“당신은 그런 동화책 주인공 같은 말도 잘하더라. 처음 우리 병원 다닐 때는 이래도 시큰둥, 저래도 뚱해서 있더니.”

은정이 웃었다. 은정의 농담에도 정욱은 여전히 진지한 표정으로 하려던 말을 이어갔다.

“내가 모아 놓은 돈이 조금 있어. 희수가 유학 가고 싶어 하던데 아빠가 보내줄게.

“정말? 아빠 사랑해요!”

사춘기가 되면서 정욱을 봐도 본체만체, 시큰둥하게 인사만 하던 큰애가 이렇게 안긴 건 오랜만이었다. 일사천리로 유학 준비를 마친 아내와 두 딸은 그렇게 급하게 뉴질랜드로 떠나갔다.

유학 생활을 뒷바라지하는 건 생각보다 어려웠다. 보내준 돈을 정착하는 데에 거의 다 썼다고 했다. 정착? 아예 안 돌아올 생각인가 불안했지만 따져 묻지는 않았다. 공부를 마치면 돌아오겠지, 라고 생각했다. 모아 놓은 돈을 한꺼번에 주는 게 아녔는데, 그래야 계획적으로 지출했을 텐데 후회하다가도 아내와 애들이 타국에서 여유롭게 산다는 이야기를 들으면 잘했다 싶었다. 카센터가 원래대로만 운영돼도 힘들지는 않았을 텐데, 코로나다 뭐다 해서 몇 년째 불경기였고, 정욱이 운영하는 카센터도 타격이 있었다. 매달 돈을 보내는 게 힘들었는데, 정욱은 말할 수 없었다. 가장의 입과 어깨는 원래 무거운 것이다.

정욱이 퇴근을 서둘렀다. 집에서 사랑하는 아내와 아이들이 기다리고 있었다. 퇴근길 집 앞 슈퍼에 들러 두 딸이 좋아하는 과자를 고르고 붕어싸만코를 담았다.

"이게 언제 천원이 넘은 거야?"

붕어싸만코 가격이 새삼스럽게 느껴졌다. 집 앞에 서서 벨을 눌렀다. 아내가 그냥 열고 들어오지 왜 벨을 눌렀냐고 한소리 하겠지만 말이다. 이상하게 집 안에서 아무 소리가 나지 않았다. 몇 번을 더 눌러봐도 마찬가지였다. 하는 수 없이 도어록 비밀번호를 입력해 문을 열었다. 방이 세 개였던 집은 오늘따라 좁았다. 정욱이 누우면 꽉 찰만한 원룸처럼 보였다. 열대야라더니 해가 진 후에도 푹푹 쪘다. 정비소에서 집까지 고작 십오 분 걸었는데 온몸이 땀으로 젖었다. 눅눅해진 옷이 정욱의 어깨를 짓눌렀다. 짐이 되어버린 옷을 벗어 던지고 팬티 바람이 되었지만, 여전히 정욱의 어깨는 무거웠다. 갈증을 느낀 정욱이 들고 있던 검은색 비닐봉지에서 소주를 한 병 꺼내다가 다시 넣어버리고는 싱크대로 달려가서 수돗물을 벌컥 들이켰다. 갈증이 해소되기는 했는데 날이 더워서 그런지, 땀을 너무 많이 흘려 탈수가 온 건지 갑자기 어지러웠다. 바닥에 그대로 널브러졌다. 두 딸과 아내는 뭘 하느라 바쁜지 정욱이 집에 왔는데도 얼굴을 비추지 않았다. 기운 빠진 손을 뻗어 힘겹게 리모컨을 잡고 티브이를 틀었다. 일부러 볼륨을 키워봤다. 그러면 누구라도 아는 체해주지 않을까 싶어서였다. 머리가 울려 현기증이 날 만큼 크게 볼륨을 키웠지만 아무도 정욱을 보지 않았다. 마치 투명 인간이 된 기분이었다. 공허한 감정이 순식간에 정욱을 감쌌다. 한여름인데 한기가 돌았다.

"아우. 추워."

방바닥에 굴러다니던 소주병을 들었다가 내던져버렸다.

"안돼. 안돼."

정욱이 겨우 몸을 일으켜 이불을 가져다가 온몸에 둘둘 말았다. 이제야 좀 온기가 돌았다.

가만히 누워 천장을 바라봤다. 자꾸만 빙글빙글 돌았다. 어지럽던 시야가 점차 희미해졌다. 눈에 뜨거운 액체가 맺히더니 넘쳐서 볼을 타고 흘러내렸다. 이불에 코를 박고 어린애처럼 엉엉 울다가 그대로 잠들었다.

다음 날 아침 정욱은 외로움도 서글픔도 잊고 출

근 준비를 서둘렀다. 보물들을 위해 열심히 일해야 했다. 뉴질랜드에 있는 가족에게 학비와 생활비를 보내주려면 돈을 벌어야 했다. 샤워를 마치고 팬티 바람으로 나와 냉장고 문을 열었다. 텅 빈 냉장고를 잠시 멍하게 보다가 문을 닫았다. 수돗물로 대충 목을 축이고 전날 아무렇게나 벗어놓은 회색 정장 바지를 입었다. 잔뜩 구김이 간 하얀색 반 팔 셔츠에서는 땀과 눈물이 섞인 짭조름한 냄새가 났지만 빨아놓은 게 없었다. 어쩔 수 없이 어제 입은 걸 다시 입었다.

"다녀올게. 은정아, 희수야, 정수야."

"......"

오늘도 묵묵부답인 가족이었다. 정욱은 도무지 알 수가 없었다. 왜 식구들이 이렇게 자기를 투명 인간 취급하는 건지 모르겠다. 아무리 고민해 봐도 왜 화가 나서 자신을 없는 사람 취급까지 해가며 따돌리는 건지 영문을 모르겠다. 그 생각만 하면 가슴이 답답했지만, 든든한 가장은 인내해야 했다. 잠결이라 잘 기억나지는 않지만, 참았던 서운함이 터져 나와 밤새 고래고래 소리를 질러댔던 것 같다. 얼마 없는 살림살이를 집어 던졌는지, 아침에 일어나 보니 물건이 제자리에 있지 않고 여기저기 엉망으로 흩어져 있었다. 그나마 깨질만한 물건이나 무거운 물건은 다 버려둔 게 다행이었다. 잠결에 간지러워 벅벅 긁어댔던 팔에는 피가 났었는지, 밤새 굳어 피딱지가 된 상태였다.

아침부터 이마에서 땀이 줄줄 흘렀다. 지구 온난화가 문제라더니 여름이 예전 같지 않게 무더웠다. 언젠가 한 번 가봤던 동남아 어느 나라 같았다. 요즘 들어 자꾸 가슴이 답답해서 숨이 막혔는데, 이게 다 이 동남아 같은 날씨 때문이라고 생각했다.

정욱은 출근하자마자 작업복으로 갈아입고 밖으로 나와 일을 시작했다.

"출근하자마자 작업복으로 갈아입을걸, 왜 양복 차림으로 출근하세요. 성가시게."

유일하게 남은 직원, 윤철이 인사 대신 잔소리를 했다.

"이게 내 로망이었거든. 어릴 때부터 출근하는 가장의 모습을 떠올리면 양복 차림이었어."

"로망은 무슨. 작업복 입는다고 가장이 아닌가요? 가장 맞잖아요."

"그렇지. 가장. 윤철이네도 식구들이 화나면 말도 안 걸고 그래?"

"같이 사는데 어떻게 그래요. 꼴 보기 싫어도 말할

수밖에 없지. 안 그래요?”
“그렇지. 한집 사니까. 아무래도 그렇게 되지.”
“왜요?”
“그냥.”
정욱은 아내와 두 딸이 자신을 투명 인간 취급한다고 말하기 싫었다.
“오늘은 예약 많나? 여섯 시면 작업 끝나나?”
“예. 오늘도 출장 뛰세요?”
“응.”
“날도 더운데 쉬엄쉬엄하세요. 그러다 쓰러져요. 이제 연세도 있으신데. 얼굴은 왜 그렇게 점점 까매지세요.”
“내 아이가 어때서. 사십 대야. 아직 애들 아직 어린데, 애들 대학 보낼 때까지는 열심히 벌어야지.”
정욱이 요 며칠 이상했다. 한국에 있지도 않은 가족이 왔다며 인사시키지를 않나, 작업하다가 도구를 집어 던지지를 않나, 온몸이 가렵다고 긁다가, 갑자기 춥다고 몸을 벌벌 떨거나 했다.
윤철은 정욱을 보며 기러기 생활하는 게 여간 힘든 일이 아니구나 싶었다. 제대로 식사도 안 하고 술만 먹길래 자기라도 잔소리하고 챙겨야겠다 싶었다. 그러다 큰일 난다고 술을 끊으라고 신신당부했고, 정욱은 그러겠다고 했다. 듬직한 가장이 되려면, 오래오래 건강하게 살아야 한다며 주먹을 불끈 쥐어 보였다. 아내와 두 딸이 떠나가고 몇 년 동안 매일 먹던 소주를 안 마셨다고 자랑한 지 삼일인가, 사 일째 되는 날이었다.

"건강검진은 받으셨죠?"

"아니. 건강한데 뭘 받아."

"요 며칠 좀 이상해요. 병원 한번 가보세요. 아니면 저랑 앞에 내과라도 가요."

"괜찮아."

괜찮다고 넘겨버렸지만, 이상하다는 윤철의 말에 정욱은 왠지 모르게 가슴이 철렁 내려앉았다. 무겁게 가라앉은 가슴은 빠르고 거칠어진 심장 박동을 더 예민하게 느끼고 있었다.

"열심히 돈 벌어 가장 노릇 해야 하는데. 우리 보물들 내가 지켜줘야 하는데."

혼자 중얼거리던 정욱이 하던 일을 멈추고 윤철에게 말했다.

"내과 다녀올게."

곧장 길을 건너는데 윤철이 따라나섰다.

"같이 가요."

정욱이 병원 안으로 들어서자 박 간호사가 반갑게 인사를 건넸다.

"희수 아버님. 오랜만에 오셨네요. 잘 지내셨죠?"

"예."

"희수랑 정수 그리고 김 선생도 잘 지내죠? 뉴질랜드 얼마나 좋대요? 가보셨어요?"

"예? 뉴질랜드요? 누가 뉴질랜드에 있대요?"

"희수 아버님, 농담도 참 진지하게 하셔. 이제 진료실로 들어가시면 돼요."

아내와 두 딸이 뉴질랜드로 떠났다는 게 불현듯 떠오르자, 현기증이 났다. 바닥이 천장으로 솟아 당장 중심을 잃고 쓰러질 것 같았다.

"내가 요새 술을 너무 먹었나. 아닌데, 윤철이랑 술 안 마시기로 하고는 며칠이나 안 마셨지."

정욱이 비틀거리며 진료실 안으로 들어갔다.

"오랜만이에요. 희수 아버님. 오늘 며칠이죠?"

"글쎄요. 제가 요즘 날짜도 모르고 살아요."

"올해가 몇 년이에요?"

"2009년 아닌가요? 아니다. 어? 이상하네?"

"2023년이잖아요."

"아이고 그렇죠. 맞아요."

"계절은 아세요?"

"여름이잖아요."

"지금 여기 몇 층으로 오셨죠?"

“1층이요. 왜 이런 걸 물으세요?”

“술은 요즘도 많이 드세요?”

“아니요. 며칠 안 마셨어요.”

“정수도 잘 있죠? 정수 걷는 거 얼마나 귀여워요. 진짜 아장아장 걷는 느낌이 드는 걸음걸이에요. 올해 정수가 몇 살이죠? 네 살이었나?”

“맞아요. 정수가 올해 네 살 됐어요. 아니지. 열여섯인데. 아니 몇 살이었더라?”

정욱은 두통까지 더해진 머리에 양 손가락을 올려 꾹꾹 눌러봤다.

“희수 아버님. 검사 몇 가지 더 진행하고 소견서 써 드릴 테니까 전문병원에 가서 제대로 치료받으세요.”

“제가 어디가 안 좋은가요?”

“알코올의존증이셨는데, 며칠 술 안 드시니까 금단증상으로 섬망이 나타난 것 같아요. ”

덜컥 화가 났다. 그동안 술을 많이 마시기는 했지만, 이제부터 안 마시려고 결심했고, 며칠이나 잘 지키고 있었는데…… 혐오하던 아버지를 그대로 닮아버린 자기 모습에 화가 치밀었다.

“왜 나를 정신병자 취급하는 겁니까. 예? 살다 보면 헷갈릴 수 있는 거지! 난 정상이라고. 멀쩡하다고!”

정욱의 고함에 밖에 있던 윤철과 박 간호사가 정욱

을 끌어냈다. 한동안 실랑이하다가 다시 정신을 차렸을 때는 내과 주사실이었다.

"희수 아버님, 영양제 놔 드렸으니까, 이거 다 맞고 가세요. 윤철 씨한테 말했으니까 같이 병원에 가보세요. 밥도 좀 잘 챙겨 드시고요. 가족이 걱정하겠어요."

"예, 죄송합니다."

내과에서 나온 정욱이 윤철과 함께 근처 정신건강의학과로 갔다. 몇 가지 검사를 받고 알코올의존증이라는 진단을 받았다. 약을 잘 챙겨 먹고 꾸준히 상담받으면 나아질 수 있을 거라고 했다. 정욱은 치료 의지가 강하니까 분명 좋아질 수 있을 거라고 했다.

술에 의지해 외로움을 달래왔지만, 막상 알코올의존증이라고 진단받는 순간은 현실감 없게 느껴졌다. 인정하고 싶지 않은 사실을 이성이 막은 모양이었다. 아버지처럼 되지 않겠다고 수없이 다짐했는데 결국 아버지를 닮게 되었다. 실감 나지 않는 현실은 시간을 멈춘 듯했고, 그래서였는지 길게만 느껴진 하루였다.

집으로 돌아가는 길, 몸에 밴 움직임대로 집 앞 슈퍼에 들렀다. 아이들이 좋아하는 과자나 아내가 좋아하는 붕어싸만코를 집었다가 제자리에 가져다 놓았다. 냉동 칸에 쟁여 놓은 붕어싸만코는 줄지 않았다. 벽장에 쌓인 과자도 마찬가지였다. 손이 가는 대로 소주를 집었다가 내려놓았다. 의사가 술은 안 된다고 했다. 정욱은 의사 말을 되뇌었다. 약을 잘 챙겨 먹고 의사 선생님이 시키는 대로 잘만 하면 두 딸이 대학 갈 때까지는 무리 없이 일해서 돈을 벌 수가 있을 것이다.

정욱은 빈손으로 슈퍼를 나섰다. 검은색 비닐봉지가 없는 빈손은 허전했다. 행복했던 때가 있었는데. 세상은 참 야속하게 기대치도 않은 선물을 주더니, 금세 빼앗아 버렸다. 이제 텅 빈 이 느낌은 태어나면서부터 원래 있었던 것처럼 익숙해져 버렸다.

집 앞에 가만히 멈춰 선 정욱이 괜히 한 번 벨을 눌러봤다. 문을 열어주는 사람은 없겠지만 말이다.

"누구세요?"

아무도 없을 텐데, 이상하게 집 안에서 은정의 목소리가 들렸다. 환청인가. 정욱이 다시 한번 벨을 누르자 문이 열렸다.

"비밀번호 누르고 들어오면 되는데 왜 굳이 벨을 눌러."

아내였다. 진짜 은정이 맞았다.

"희수 엄마? 은정이야?"

"희수 아빠."

은정이 정욱에게 안겼다. 은정은 문을 연 순간부터 눈물범벅이었다.

"혼자서 얼마나 고생스러웠으면, 얼마나 외로웠으면 술만 마셨어. 자기 망가지는 것도 모르고……"

"나 괜찮아."

"힘들면 힘들다고 말을 하지. 감당하기 어렵다고, 이제 정리하고 한국으로 돌아오라고 말을 하지. 그러면 나랑 애들이 안 왔겠어? 우리는 당신 이렇게 힘들다는 거 몰랐잖아."

은정은 자꾸만 울었다.

"울지 마. 나 괜찮아. 당신이 우니까 내가 가슴이 아프다."

정욱도 울음이 터져 버렸다.

"미안해."

울면서도 정욱은 은정에게 미안하다고 말했다.

"뭐가 미안해요. 당신이 뭐가 미안해. 내가 미안하지. 이렇게 힘든 것도 모르고… 당신이 아프고 힘들면 나는 행복하지 않아. 다른 거 다 있어도 당신이 없으면 나는 못 살아."

현관 앞에 서서 정욱과 은정은 한참을 울었다.

"내가 좀 알아보니까 초이스 정신건강의학과가 유명하더라고. 우리 거기 가 봐요."

은정은 울면서도 마음이 급했다.

"비쌀 텐데. 애들 공부시킬 돈도 부족해. 정비소 앞에, 나 지금 다니는 거기도 괜찮아."

"당신 건강이 제일 중요해. 애들도 속상해하고 있어. 아빠가 병들어가고 있는 것도 몰랐다고. 미안하다고."

정욱은 아버지도, 어머니도 병들어가는 걸 몰랐다가 그렇게 갑자기 보냈다는 게 떠올랐다. 인생이란 게 원래 이런 건가, 버티듯 하루하루를 보내다가 덧없이 가버리는 건가 싶어 서글퍼졌다가 마음을 다잡았다.

"가장으로서 책임감은 있어야지. 공부시켜주기로 한 약속은 지켜야지 내가."

"당신은 책임감이 중요해? 우리 가족의 행복보다?"

"내가 책임감 있게 살아야 우리 보물들이 행복하지."

"아니, 당신 건강 없이는 다 소용없어. 그러니까 가서 상담받아 보자. 내 소원이야."

정욱은 은정의 소원이라는 말에 초이스 심리상담센터에 다니게 되었다. 6개월간 알코올 중독 치료와 상담을 진행하다가 일리미네잇 추천자로 선정되었고, 최종 검사에 통과해 4월로 시술 예약이 확정됐다.

*

시술 날이었다. 정욱은 건물 앞까지 함께 온 은정

에게 1층 카페에서 기다리라고 했다. 카페 문을 열고 은정의 손을 잡아끌었다.

"어서 오세요. 예약자분 성함 어떻게 되세요?"

"예약해야 하는 건가요? 제가 오늘 여기 5층에 시술받으러 왔는데, 애들 엄마는 여기서 기다렸으면 해서……"

"잠시만요."

은호가 예약 상황을 살핀 후 말했다.

"예약제가 원칙이지만, 다행히 오늘 예약 취소된 자리가 있었어요. 안내해 드릴게요."

"희수 아빠, 나랑 같이 올라가."

정욱이 주머니에서 오만 원권 지폐를 꺼내 은정의 손에 쥐여주고는 손을 흔들었다.

"여기 분위기 좋네. 바로 앞에 벚꽃도 보면서 힐링? 그거 하고 있어. 금방 올게."

은정이 알겠다고 고개를 끄덕였다. 은정이 따라오면 무조건 일리미네잇을 받으라고 할 게 뻔했다. 비용이 만만치 않을 텐데. 정욱은 핑계를 대고 시술받지 않을 생각이었다.

정욱이 수지의 안내를 받아 상담실로 들어갔다.

"안녕하세요, 원장님."

정욱이 인사했다.

"안녕하세요, 한정욱 님. 가장의 무게가 얼마나 무거우셨습니까. 지난 세월 마음 편히 쉬어본 적 없으셨죠. 힘들다고 투정 부리지도 못하고, 얼마나 고단하셨습니까."

"가장은 다 그렇지요. 저만 그렇겠습니까."

"정욱 님은 책임감이 유독 강하고, 가족의 행복을 지키지 못하는 것에 대한 불안이 유난히 크셨어요. 그러니 더욱 힘드셨을 겁니다."

"항상 불안했어요. 두 딸과 아내의 행복이 곧 제 행복이었으니까요. 가족을 행복하게 해줘야 한다는 강박 같은 것도 있었습니다."

"스스로 채찍질하며 잠깐이라도 쉬지 못하셨어요."

"가장이란 그런 거지요. 어릴 때 아버지가 가장 역할을 안 해서, 어머니가 고생만 하다 가셨어요. 저는 아버지처럼 무책임한 사람이 되기 싫어요. 그래서 알코올 중독 치료? 뭐 그것도 열심히 받아서 이제 멀쩡합니다. 술 마시던 아버지를 미워했는데, 제가 이런 치료를 받게 될 줄이야."

정욱이 후회를 담은 한숨을 내쉬었다.

"불안을 삭제하는 E.E를 진행할 생각입니다. 가장으로서 과도한 책임감은 결국 불안으로 인한 것이었으니 말입니다. 불안에 무뎌지면 술 없이도 편하게 지낼 수 있을 겁니다."

"이제 치료도 거의 끝났고, 일리미… 아무튼 그거 안 받아도 됩니다. 비용이 부담스러워요. 애들 학비 대기도 빠듯해서."

"정욱 님이 그동안 힘들고 외로운 걸 티 내지 않았으니 아무도 몰랐을 것입니다. 정욱 님 마음이 이렇게 아프다는 걸 뒤늦게 안 가족들이 얼마나 미안할까요?"

"미안해하지 않았으면 좋겠어요. 그게 미안해할 일인가요?"

"정욱 님 가슴 속에 상처로 남은 부모님에 대한 죄책감, 그와 비슷하지 않을까요. 정욱 님이 계속 힘들어한다면, 가족들은 더 미안해할 겁니다."

"그래도, 돈이……"

"비용은 걱정하지 마십시오. 올해 무료 일리미네잇 대상자로 한정욱 님을 선정했습니다."

거절할 생각에 줄곧 무기력하게 흐리멍덩했던 정욱의 동공이 커졌다.

"예? 무료로 이 대단한 걸 받아도 될지 모르겠네요. 공짜로 받기엔 죄송해서. 게다가 저보다 더 아픈 사람도 있을 텐데……"

"다른 사람보다, 정욱 님의 마음을 먼저 생각하십시

오."

최 원장의 말에 따뜻해진 가슴을 어루만지던 정욱의 눈은 어느새 촉촉하게 젖어 있었다.

"내 마음을 먼저 생각하라는 원장님 말씀에 울컥하네요. 평생 내 마음 챙긴 적이 없었거든요. 미안해지네요, 저에게."

최 원장이 휴지를 건네며 말했다.

"그 누구에게도 미안해하지 마십시오. 일리미네잇 후에는 불안하지도, 고단하지도 않을 겁니다. 그러니 정욱 님 자신에게도 미안해하지 마세요."

"예. 감사합니다. 이 은혜를 어떻게 갚아야 할지……"

"정욱 님이 행복하시면, 저도 행복합니다."

최 원장의 다정한 말에 정욱이 미소 지었다. 이렇게 저절로 웃음을 지은 게 얼마만 인지 모르겠다. 최 원장의 따뜻한 위로와 격려를 받은 정욱이 스크린에 나타난 계약서에 사인했다.

준비를 마친 정욱이 베드에 누웠다. 긴장되어 거칠어진 정욱의 숨소리를 들은 최 원장이 말했다.

"한정욱 님, 아무 걱정하지 말고 한숨 푹 주무십시오."

최 원장의 눈과 마주친 정욱은 이내 잠들었다.

"들리세요? 잠이 깨나요?"

최 원장의 목소리가 들렸다.

"예. 지금 막 깼습니다."

정욱은 잠에서 깨자마자 팔다리를 쭉 뻗었다. 매일 무언가에 쫓기거나 쉬지 않고 달리는 꿈을 꿨는데, 아무 꿈도 꾸지 않고 푹 잤다. 정욱이 기억하기에 태어나서 처음으로 잔 단잠이었다.

"기분은 어떠세요? 가족을 힘들게 할까 봐 불안한가요?"

평생 무거웠던 어깨가 가벼워진 느낌이었다.

"불안하지 않네요. 가슴과 어깨를 무겁게 누르고 있던 무언가가 없어진 느낌이랄까."

"E.E는 잘 되었습니다. 오늘로 상담을 종료합니다. 일주일 동안 입원해서 푹 쉬세요. 지금껏 제대로 쉬어 보지도 못하셨잖습니까."

"예."

최 원장과 의료진이 나가자 정욱은 천천히 몸을 일으켜 창가로 갔다. 통창으로 들어온 햇살이 부드럽게 정욱을 안았다. 정욱은 지그시 눈을 감고 포근한 햇살에 안겼다. 감은 정욱의 눈에 흩날리는 그림자가 보였다. 나비 떼일까, 생각하며 눈을 떴다. 봄바람에 흩날리는 벚꽃잎이었다. 창에 더 가까이 몸을 기대 벚꽃 나무를 내려다봤다. 벚꽃 나무 아래 은정이 보였다. 은정이 정욱을 올려다보며 손을 흔들었다. 정욱도 은정을 보며 손을 흔들었다.

"예쁘다 우리 은정이."

은정이 양손을 머리에 올려 하트를 만들었다. 가슴이 뜨거워지더니 울컥하고 눈물이 나기 시작했다. 많이, 아주 많이 행복해서 흘리는 눈물이었다.

8. 승아 (E.M)

작년 봄, 수지는 고등학교 동창 모임에 나갔다. 매년 한 번씩은 모였다는데 수지는 졸업한 이후 처음으로 나간 것이었다. 친한 친구들과는 개인적으로 만나면서 지내니까 굳이 동창 모임까지 나갈 생각을 하지 않았다. 수지가 생각하기에 동창 모임은 좀 불편했다. 고등학교 졸업 후에 어떤 방식으로든 각자가 이뤄낸 한 가지쯤은 과시해야 하는 자리처럼 느껴졌다. 고등학교 졸업 후에도 여전히 자존감은 바닥이었고, 심리적으로 불안정한 이십 대를 보냈다. 그래서 십 년 가까이 동창 모임에 나갈 엄두조차 나지 않았다.

이십 대의 끝자락, 서른을 앞둔 수지는 이제 꽤 안정된 삶을 살고 있었다. 멀쩡하게 다니던 회사를 그만두고, 한동안 방에만 틀어박혀 히키코모리 같은 생활을 한 시기도 있었지만, 그 격한 성장통 덕분에 초이스 심리상담센터에서 최 원장과 인연이 닿았다. 이제 수지는 누구보다 스스로를 사랑하고 사소한 것에서 행복을 느낄 줄 아는 사람이다.

동창 모임에 같이 나가자는 친구의 말에 수지는 흔쾌히 그러자고 했다. 친구는 웬일로 수지 네가 동창 모임에 나가냐며 놀랐다. 동창들도 마찬가지였다.

"이수지. 오랜만이야. 그동안 왜 한 번도 안 나왔어?"

"수지야. 정말 오랜만이다."

고등학교 재학 당시 친하지 않았던 애들까지 수지를 반겼다. 같은 교실, 같은 공간에서 함께 시간을 보낸 것만으로 진한 유대감이 생겨서, 십 년이 넘는 긴 세월이 지난 후에 만나도 무작정 반가움을 느끼는 존재, 동창이란 게 그런 건가 보다. 수지도 반가움 때문이었는지 신이 나서 쉬지 않고 수다를 이어갔다. 동창들과의 수다는 그때 그 시절로 데려다 놓는 타임머신이었다. 대화 주제는 학창 시절 이야기에서부터 주식, 재테크, 연애, 결혼 이야기까지 다양했다. 각자의 삶을 살다가 모여 다양한 이야기를 나눠도 그 시절 소년, 소녀가 모여서 수다를 떠는 기분이었다. 반장은 예전에도 재미있게 말을 잘해서 분위기 메이커였는데, 여전했다. 수지는 반장이 하는 말마다 빵 터져 웃었다.

"이수지 원래 잘 안 웃지 않았어? 내가 그때 너 웃겨 보려고 얼마나 애썼는데."

다들 무표정하고 조용하던 애가 어떻게 이렇게 잘 웃냐고, 그동안 무슨 일이 있었던 거냐고 했다.

"우리는 어른이잖아. 어린이도 아니고, 어른도 아닌 애매한 나이. 그래서 웃을 일 있을 땐 어린이처럼 웃으면서 살고 있어. 웃다 보면 웃을 일이 자꾸 생기더라고."

동창들은 수지 덕분에 분위기가 밝아졌다면서, 다음 모임에도 꼭 나와서 자리를 빛내 달라고 했다. 수지는 이제 자기가 '인싸'가 된 거냐며 웃었다.

동창 모임에 다녀오고 한 달쯤 지난 어느 날, 승찬에게서 연락이 왔다. 학창 시절 승찬과 몇 번이나 짝을 했던 수지는 승찬과 꽤 친했는데 졸업하면서 자연스레 연락이 끊겼다. 모임 날 옆자리에 앉아 이런저런 이야기를 나누다가 명함을 주고받았는데, 그걸 보고 연락했다고 했다.

"SNS에서 일리미네잇 후기 몇 번 본 적 있었는데, 그걸 네가 일하는 병원에서 한다니 신기했어. 내 동생 승아 알지? 승아가 요즘 힘들거든. 거기서 상담을 받았으면 해."

"그래, 내가 예약 시간 정해서 연락할게."

승아는 늦둥이로 어릴 때부터 사랑을 많이 받았고, 공부도 잘해서 좋은 대학에 합격했다는 소식을 들은 적이 있다. 힘든 일이 없을 것 같은데, 대체 무슨 일로 상담까지 받으려고 하는 건지 걱정됐다. 예약을 확정한 후, 최 원장과 담당 상담사에게 친구 동생이니 특별히 신경 써달라고 했다.

승아가 초이스 심리상담센터에서 상담받기 시작하고 7개월이 지났을 때쯤 일리미네잇 대상자로 결정되었고, 필요한 검사 끝에 5월로 시술 날짜가 확정됐다.

수지는 그동안 승아를 세심하게 챙겨왔다. 말하는 게 힘들다는 승아는 수지에게만큼은 자신의 이야기를 들려줬다. 그래서 수지도 승아를 힘들게 하는 것에 대해 어느 정도는 알게 되었다. 아직 최 원장만큼 깊은 내공이 있는 건 아니었지만, 수지도 공감 능력이 좋은 편이었다. 수지는 승아의 상처에 공감하려 애써왔지만, 솔직히 공감되지 않았다. 승아가 일리미네잇 대상자로 결정되었을 때 좀 의아했다. 승아의 아픔이 일리미네잇까지 필요할 만큼인 건지 이해되지 않았다. 수지의 진심이 아닌 형식적인 공감의 표현에도 승아는 고마워했고, 죄책감이 들었다. 수지는 고민 끝에 최 원장에게 조언을 구했다.

“제 공감 능력은 꽤 괜찮다고 생각해왔어요. 그런데 승아의 아픔은 공감하기 어렵더라고요. 승아가 일리미네잇 대상자로 정해진 게 좀 의외였어요. 사람들이 승아 이야기를 들으면 배부른 소리라고 하지 않을까요? 승아보다 훨씬 어렵고 아픈 사람도 많을 텐데……”

"개개인의 아픔이나 행복은 평가하거나 비교할 수 없다고 했던 말 기억하나요? 우리가 보기에 별것 아닌 것도, 당사자에게는 죽음을 생각할 만큼 큰 아픔일 수 있습니다."

최 원장의 긴 설명이 필요 없이 수지는 고개를 끄덕였다.

"제가 생각이 짧았네요. 더 공부하겠습니다."

시간을 확인한 수지가 최 원장에게 인사를 했다.

"벌써 시간이 이렇게 됐네요. 승아 예약 시간이에요. 내려가 보겠습니다."

급하게 3층으로 내려가서 문 앞에 섰다. 엘리베이터에서 내리자마자 수지를 본 승아가 수지의 손을 잡았다. 포근한 5월의 날씨인데도 승아의 손은 차갑게 떨리고 있었다.

"승아야. 왜 이렇게 떨어."

"무… 무서워… 죽…겠어요. 아…아픈 거… 아…니겠죠?"

승아는 더듬더듬 말을 했다. 수지는 느린 승아의 말이 끝날 때까지 기다렸다가, 차분하게 설명했다.

"마취하거나 최면 상태로 진행되는 거라서 하나도 안 아파. E.E 수술을 하게 되면, 머리에 미세한 상처를 내야 해서 약간의 통증은 있는데, 입원해 있는 일주일 동안 진통제가 투여되니까 실제로 통증은 거의 못 느낄 거야. 그냥 편하게 자고 일어난다고 생각해."

"언니가… 있어서 안…심이에요. 언니… 저… 잘… 돌…봐주셔야… 해요,"

"그래. 걱정하지 마."

승아가 수지의 안내를 받아 최 원장이 기다리고 있는 상담실로 갔다. 수지가 문을 열어주고 승아의 어깨를 토닥였다.

"잘하고 와."

수지의 응원을 받은 승아가 고개를 끄덕이고는, 최 원장의 맞은편 자리에 앉았다.

"승아 씨. 안녕하세요."

"안…안녕…하세요."

"요즘 어떠신가요?"

"여전한… 것… 같아요. 사람들…이랑 의사…소통…하는 게… 쉽지… 않아요. 말…말이 잘 …안… 나…나와요."

"네. 마음이 불편할 때 더 그렇다고요. 제가 보기에 대화 나누는데 어려움이 없이, 괜찮습니다. 곧 좋아질 겁니다."

"감…사합니다."

"여전히 가족들과 대화를 안 하는 거죠?"

"네."

"마음속 응어리를 풀고, 대화를 나눠보시면 어떨까요."

"싫…어요. 차…차라리 죽는 게… 나…아요."

"목숨보다 소중한 건 없어요, 승아 씨."

"자존심… 상…해요. 먼…저 저…한테 말… 걸…어주고 괜찮은…지 물어봐… 줄… 수 있잖…아요. 제…제가 먼저 굽히느니… 죽어…버리고 싶…싶어요."

"승아 씨는 목숨보다 자존심이 중요한가요?"

"네. 자…존…심 상…해…서 죽…겠다고요. 열등…감 때…문에… 너무 괴…괴로워요. 애매…하…고 미묘…한 이 감…정… 때문에 미…미치겠어요."

*

어릴 때부터 승아는 친구를 사귀는데 큰 관심이 없었다. 굳이 상대를 배려하고 신경 쓰면서까지 관계를 맺고 싶지 않았다. 어릴 때는 엄마가 만들어준 친구들과 어울렸다. 엄마가 만들어준 우정은 깊지 않았다. 고학년이 되자, 친구들은 각자 마음이 맞는 애들과 우정을 쌓았다. 승아는 개의치 않았다. 친구라 부르는 애들은 몇 명 있었지만, 마음을 나누거나 깊은 우정을 쌓은 건 아니었다. 타고난 본성이 내성적이어서였는지 혼자인 게 편했다. 혼자 놀아도 재밌는 게 많았고, 외롭지 않았다. 누구에게도 털어놓은 적 없었지만, 친구는 그저 승아가 우월감을 느낄 수 있는 대상, 그거면 됐다.

승아가 중학교 3학년이었을 때 이사하면서 세정이 다니는 학교로 전학하게 되었다. 두 사람은 그때 만났다.

"오늘은 새로운 친구가 우리 반으로 오게 되었어요. 자기소개 좀 해줄래?"

"박승아라고 합니다. 잘 부탁드립니다."

짧은 자기소개를 마친 승아는 순식간에 얼굴이 복숭앗빛이 되었다. 그날 이후로 승아의 별명은 복숭아가 되었다.

"내가 남자였으면 바로 사귀자고 했다."

세정이 승아에게 먼저 말을 걸었다.

"응? 뭐라고?"

"그만큼 네가 귀엽다는 말이야. 복숭아 같이 생겨서는."

세정이 승아의 볼을 살짝 꼬집었다. 당황해서 말문이 막힌 승아를 보며 세정이 웃었다. 씩씩한 말투와 달리 온화한 미소였다. 그 미소를 보자 살짝 불쾌하게 물들었던 마음이 맑아졌다.

"우리 친하게 지내자. 나는 이세정이야. 애들은 이세영이라고 부르는데, 너는 아무거나 편한 대로 불러."

세정을 향해 고마움이 살짝 고개를 들었다. 낯선 곳에서 짧은 인사를 건네고는 얼굴이 복숭아가 된 내성적인 전학생에게 먼저 다가온 건 고마워할 만한 일이었다. 전학하자마자 친구를 사귈 생각은 없었는데, 활발하고 리더십 있는 세정이 내성적인 승아를 잘 챙겼다.

승아는 세정과 '베프'로 불렸다. 같은 반 아이들은 승아와 세정이 잘 어울리는 단짝이라면서 뒤에서는 수시로 둘을 비교했다. 성적은 승아가 세정보다 조금 우위였고, 미모는 취향에 따라 달랐다. 세정은 아나운서 출신 재벌가 며느리인 이세영을 닮은 데다가 이름도 비슷해서 별명이 이세영이었다. 붉어진 얼굴이 복숭아를 닮아 별명이 복숭아인 승아는 귀여운 쪽, 세정은 세련미가 있는 쪽이었다. 비교에 재미를 붙인 친구들은 급기야 부모님의 능력까지 소환했다.

"로펌집 딸 대 만둣집 딸. 승아 윈."

폴란드 심리학자 헨리 타이펠은 비교는 인간의 본능적인 행위이자, 우리 사회와 관계를 구성하는데 필연적인 행위라고 했다. 겉으로 드러내지 않았지만, 승아 역시 속으로는 끝없이 세정과 자신을 비교했다. 아무리 생각해도 세정보다 못난 게 없었는데, 우월감은커녕 자꾸만 세정보다 못난 기분이 들었다.

세정은 인간에게 본능적이고 필연적인 행위라는 비교를 하지 않았다. 자신이 가진 것으로 만족했다. 세정은 열등감을 느낀 적이 없었는데, 상대적으로 누구보다 우월해서가 아니라 스스로 충만했기 때문이다. 세정의 아빠는 신사동에서 만둣집을 하는데, 장사가 잘된다고 했다. 아빠는 만두를 파느라 얼굴 보기 어려웠고, 엄마는 이 세상에 없어서 얼굴을 볼 수가 없었다. 세정의 엄마는 세정이 일곱 살이었을 때 사고로 세상을 떠났다. 얼굴은 잘 기억나지 않지만, 엄마의 품에서 느꼈던 온기는 세정의 가슴속에 남아 있었다. 그래서였을까, 세정에게서는 어떤 결핍이 느껴지지 않았다. 엄마 이상으로 주는 할머니의 사랑이 유별나서였는지도 모르겠다. 친구들이 대놓고 승아와 비교해도 세정은 아무렇지 않았다.

“승아랑 붙어 다니는 거 괜찮아?”

“왜?”

“승아가 좀 잘났어야지. 아무래도 열등감 같은 게 느껴지지 않을까.”

“승아가 우월한 건 사실인데 내가 열등감을 왜 느

껴."

열등감을 모르는 세정은 승아에게 불편한 친구였다. 다른 애들처럼 세정도 더 잘 맞는 친구를 찾아 멀어지기를 기다렸다. 승아가 친구를 대상으로 느껴온 우월감은 상대가 열등감을 느낄 때 더 크게 가질 수 있는 것이었다.

승아는 세정과 고등학교도 함께 진학했다. 두 사람은 고등학생 때도 붙어 다니면서 베프로 지냈다. 승아는 세정이 불편했지만, 멀어지는 방법을 몰랐다. 다른 애들은 어느 때가 되면 자연스레 멀어졌는데, 세정은 왜 계속 곁에 붙어있는 건지 알 수 없었다. 어딜 가든 승아부터 챙겼고, 승아를 위주로 많은 걸 배려했다. 한 번은 세정에게 왜 이렇게 잘해주냐고 물었던 적이 있다. 세정은 원래 친구는 그런 거라고 했다. 이렇게 불편한 감정이 드는 게 세정이가 말한 친구라면, 친구가 없는 게 차라리 낫겠다고 생각했다. 승아에게 세정은 익숙하고 당연하지만, 신경에 거슬리는, 짜증 나는 존재였다.

두 사람은 같은 대학을 목표로 공부했다. 이 목표는 승아가 정한 게 아니고, 세정이 떠들어댄 것이었다.

"나도 열심히 공부해서, 꼭 승아 너랑 같은 대학 갈

거야. 너랑 헤어지는 거 싫어."

승아가 보기에 불가능해 보였지만, 세정은 열심히 공부하면 같은 대학에 갈 수 있을 거라고 했다. 대체 어디서 오는 자신감인지. 한 번쯤은 세정의 단단한 자신감이 꺾이는 모습을 보고 싶었다. 승아는 세정과 함께 다니는 학원 외에 족집게 과외까지 받았다. 엄마는 세정과 함께 과외를 받으라고 했지만, 승아는 말도 꺼내지 말라고 했다.

"과외비가 워낙 고액이라서. 세정이한테는 부담일 거야."

세정 모르게 혼자서만 과외를 받은 건, 세정을 배려한 것이라고 포장했다.

입시를 치르고, 대학 합격자 발표가 있던 날, 세정도 승아네 집에서 결과를 확인하기로 했다. 먼저 승아의 수험번호를 입력했다. 합격이라는 두 글자가 승아의 눈에 들어왔다.

"축하해 승아야."

세정이 승아의 손을 잡았다. 가족 모두가 얼싸안고 승아의 합격을 기뻐했다. 승아는 속으로 어떻게 세정을 위로해야 할지 생각하는 중이었다. 세정은 결국 불합격할 것이라 예상해 왔지만, 막상 현실이 되면 좀 슬플 것 같았다. 중학교 때부터 몇 년 동안 붙어 다닌 정이 있으니 말이다.

세정은 아무래도 불합격했을 것 같다면서, 선뜻 확인하지 못했다.

"내가 대신해 줄까?"

승찬의 제안에 세정이 고개를 끄덕였다. 승찬이 수험번호를 입력하기 시작하자, 세정은 고개를 숙였다.

"합격이야. 세정아."

승찬이 세정의 손을 덥석 잡았다. 고개를 들고 합격을 확인한 세정이 승찬에게 안겼다.

"나는 진짜 떨어지는 줄 알았거든. 엄마가 도와주나 봐."

"세정아. 정말 그런가 보다. 이렇게 예쁘고 성실하게 잘 지내줘서, 엄마가 하늘나라에서 힘주셨나 봐."

승아의 엄마가 세정의 머리를 쓰다듬었다. 승아는 축하한다는 말이 나가지 않았다. 의외의 결과에 당황해서 말문이 막힌 탓이다.

"승아야. 우리 대학도 같이 다니게 됐어. 나 너무 기뻐."

세정이 승아의 손을 잡고 방방 뛰었다.

"그래. 세정아. 축… 축하해."

승아는 복잡해진 자신의 감정이 얼굴에 드러나지 않

도록, 억지로 입꼬리를 올려 미소를 지어 보였다. 불안과 불쾌함이 뒤섞인 감정이 승아의 마음을 어지럽혔다. 세정에게 줄곧 느껴온 이 불편한 감정은 인정하고 싶지 않았지만, 열등감이었다.

"내가 인기 없는 학부를 선택한 게 신의 한 수였어. 승아 너는 소신 지원하고도 합격하다니 역시 우리 승아는 최고라니까. 축하해."

세정이 환하게 웃었고, 승아는 그 미소에 위축됐다. 세정의 축하가 진심이라는 게 느껴졌다. 잘해준 것도 없는데, 속으로 미워했는데. 왜 이렇게까지 승아에게 진심인 건지 이해되지 않았다.

"세정아 너는 내가 왜 좋아?"

"뜬금없이? 왜 좋냐니. 너니까 좋지. 내 베프니까,"

"그러니까. 왜 지금껏 나랑 베프로 지내 온 거냐고."

세정은 고민 없이 답했다.

"네 존재만으로 좋아. 너를 생각하면 기분이 좋아져."

존재만으로 좋다는 말에 눈물이 핑 돌았다. 왜 감동하는 건지… 세정을 미워한 주제에 감동할 자격이 있는 걸까. 혼란스러웠다.

"그러는 너는? 내가 왜 좋아?"

세정의 질문에 승아는 답을 할 수 없었다. 사실은

난 네가 싫어. 라고 말할 수는 없었다.

"너도 이유 없이 내가 좋은 거니? 대답 좀 해 줘."

세정이 답을 재촉했다.

"아니. 너는 항상 내 편이잖아. 나를 응원해 주고, 내가 힘들 때마다 위로해 줬어."

이건 진심이었다.

"네 편 안 들면 나 싫어할 거야?"

세정이 웃었지만, 승아는 웃지 못했다. 승아에게 행복은 우월감이었는데, 세정을 만난 이후로 행복하지 않았다. 세정이가 미웠지만, 세정이가 좋았다. 세정에 대한 모순된 감정 때문에 괴로웠지만, 이런 모호하고 유치한 감정을 누구에게도 말할 수 없었다.

대학생이 되고서도 승아와 자주 만났지만, 학부가 달라서 예전만큼은 붙어 다니지 않으니 마음이 편했다. 학부 친구들과 어울리느라 바빠진 세정이 승아에게 미안하다고 했지만, 승아는 오히려 다행이라고 생각했다. 예전만큼 세정과 시간을 보내지 않으니 세정에 대한 열등감이나 미움이 조금은 잦아드는 느낌이었다.

승찬이 대입 축하주를 산다고 학교 쪽으로 온 날, 세정이도 부르라고 했다. 둘이 몇 번이나 봤다고 세정이까지 챙기는 건지, 역시 오빠는 자상한 사람이라고 생각했다. 오빠 같은 남자가 있다면 당장 결혼하고 싶다고 줄곧 생각해왔다. 승찬은 승아의 이상형이었다. 승아보다 아홉 살이나 많은 오빠는 능력 있고 자상했다.

연락하고 얼마 안 돼서 도착한 세정을 보고 놀란 승아가 말했다.

"나 스토킹 해? 어떻게 이렇게 금방 와?"

세정이 웃었다.

"나 승아 스토커잖아. 평생 따라다닐 거야."

괜히 짜증이 난 승아는 세정과 눈도 마주치지 않고 잔에 있던 맥주를 들이켰다.

"오빠. 바쁜데 세정이까지 안 챙겨도 돼."

세정 들으라고 한 말이었다.

"승아뿐 아니라 세정이도 챙겨 주고 싶었어."

승찬의 말에 꾸역꾸역 외면해 온 세정에 대한 불쾌한 감정이 올라왔다. 짜증 나서 연이어 두 잔을 마신 맥주 때문이었는지 더러운 그 감정이 격해져서, 춥지도 않은 몸이 떨릴 지경이었다. 평소 같았으면 그냥 지나쳤을 승찬의 말을 되새김질했다.

"승아뿐 아니라 세정이? 둘이 몇 번이나 봤다고 세정이를 챙겨?"

승찬이 세정의 눈치를 살피다가 말했다.

"승아야. 오빠가 오늘 할 말이 있어."

왠지 듣고 싶지 않은 말을 할 것 같았다.

"오빠. 그냥 말하지 마."

"내가 무슨 말을 할 줄 알고 하지 말래."

승찬이 웃었다.

"그냥 하지 마."

"좋은 소식이니까 들어. 오빠랑 세정이 진지하게 만나고 있거든. 세정이 대학 졸업하면 바로 결혼할 생각이야. 내가 나이가 있고, 확신이 들었는데 더 미룰 이유는 없을 것 같아. 완전 서프라이즈지? 네 베프가 가족이 된다니, 기쁘지?"

승찬은 대체 뭐가 저렇게 신이 난 건지 두 손을 모은 채 승아의 반응을 기다렸다. 승아는 기가 차서 헛웃음이 나왔다.

"참나. 결혼? 누구 마음대로?"

승찬과 세정이 동시에 당황한 표정을 지었다.

"결혼은 뭐 둘이 하는 건가? 허락이나 받을 수 있겠어? 레벨 차이가 나는데 가당키나 해?"

세정은 얼굴을 붉힌 채, 고개를 숙였다.

"부모님은 알고 계셔. 허락하셨고. 그런데 승아 너, 말이 심하다."

승찬이 언성을 조금 높였다.

"지금 나한테 화낸 거야? 왜 화를 내? 내가 뭐 틀

린 말 했어? 둘이 무슨 결혼이야. 애들 불장난하는 것도 아니고."

"작년에 세정이 과외 해주면서부터 좋아했어. 아니 그전부터 좋아했어. 세정이가 성인 될 때까지 기다렸다가 고백했고, 어렵게 내 마음 받아줬어."

"과외는 또 무슨 소리야?"

"엄마가 세정이 과외 해주라고 소개했어."

"왜 나한테는 말 안 했어?"

"네가 예민한 시기라 말 못 했어."

가슴 속에 쿵 내려앉은 무거운 돌덩이가 뜨겁게 달아오르는 느낌이었다. 소외감과 배신감을 동시에 느끼자 억누르고 외면하느라 바빴던 세정을 향한 열등감이 뻥 터져 버렸다. 불쾌한 감정을 더 이상 숨길 수 없었고, 그대로 손이 나가 세정의 어깨를 밀쳤다.

"야, 이세정. 우리 오빠랑 헤어져. 네가 생각해도 이거 아니지 않냐? 너 내 비위 잘 맞췄잖아."

세정이 굳어진 얼굴로 단호하게 말했다.

"친구로서 너를 좋아하고 아끼니까, 공감해 주고 배려한 거야. 비위를 맞춘 게 아니고."

승아는 흔들림 없는 세정의 모습에 약이 올랐다.

"아 진짜 짜증 나. 우리 오빠랑 결혼하면 레벨이 올라갈 것 같아? 주제 파악 좀 해라. 오빠는 하나밖에 없는 동생 엿 먹이는 방법도 참신하다. 어디서 둘이 나 몰래 결혼까지 약속해. 웃기고 있어 진짜."

"승아야. 우리 친구잖아. 나는 너를 진심으로 좋아했어."

"세정아. 나는 네가 싫어. 처음부터 쭉 네가 싫었어."

술에 취해 비틀거리며 밖으로 나온 승아는 한참을 거리에서 씩씩대다가 엄마에게 전화를 걸어 따졌다.

"오빠랑 세정이가 결혼 전제로 사귄다니, 말이 돼?"

엄마는 답답한 소리를 했다.

"서로 좋아한다는데 뭐가 문제야? 네 베프랑 가족이 될 수 있는 건데 기분 나쁠 일이야?"

"말이 되는 소리를 해야지. 세정이네 만둣집 해. 게다가 장사하면서 아저씨 혼자 키웠다고. 가정교육이나 제대로 받았겠어?"

"그런 게 중요하니? 세정이가 얼마나 좋은 애인지는 네가 제일 잘 알잖아."

"세정이는 나보다 아래에 있는 애야. 급이 떨어지는 애라고. 내가 세정이보다 훨씬 잘났고 우월해. 그건 친구들이 다 인정한 거야. 내 의견이 아니고 객관적인 사실이라고."

"승아야. 대체 이게 무슨 소리니? 사람 사이에 급이 어딨어? 엄마는 너 이런 모습 낯설다."

엄마는 더 이상 할 말이 없다며 통화를 종료했다. 이 세상에 아무도 승아의 마음을 이해해 줄 사람이 없는 것 같았다. 세정을 향한 지독한 열등감에 공감해 줄 사람이 없다고 생각하자 외로웠다. 친구가 없어도, 혼자여도 외로웠던 적은 없었는데… 외롭다는 낯선 감정은 승아를 불안하게 했다.

사람은 힘들 때 가까운 사람에게 공감받고 위로받는다던데, 승아는 그럴 수 없었다. 세정을 상대로 느낀 열등감을 고백하는 게 자존심 상했다. 자존심을 짓누른 배신자들, 가족이 말을 걸면 대꾸하지 않았다. 아무렇지 않은 듯 지내려고 했는데, 말이 잘 나가지 않았다. 일상을 보내면서 승아는 거의 말을 하지 않았고, 어쩌다 말을 할 때는 더듬었다. 가족과 대화하지 않는 승아였기에 두 달 넘도록 아무도 승아의 문제를 알아차리지 못했다.

동창 모임에 다녀오고 한 달쯤 지났을 때 승아의 상태를 알게 된 승찬이 수지에게 연락했다.

*

최 원장이 승아에게 물었다.

"승아 씨는 우월감을 느껴야 행복한가요? 다른 사람

보다 잘나면 어떻고, 못나면 또 어떻습니까. 승아 씨 자체로 소중한데요."

존재만으로 소중하다고 했던 세정의 말이 떠오르자 가슴이 아팠다.

"후…후…회…돼…요. 자…자존심 부리…고 세정…이를 미워한 게 후…회 돼…요. 그걸 인…인정…하는 게 자…자존…심 상해요."

잠시 고민하던 최 원장이 말했다.

"기억을 삭제하는 E.M으로 진행하겠습니다."

"E.M이요? 감…감정을… 삭…삭제…하는 시…술 아…아니고요?"

"승아 씨가 힘든 건 불안이나 공포에서 오는 것보다, 세정 씨에 대한 열등감 때문이에요. E.E는 공포나 불안이 무뎌지는 수술입니다."

"그…렇지만 세…세정이에 대한 기…억을 아…예 지…지우고 싶…지는 않아요."

"아이러니한 감정이네요."

"네. 언…제…나 그…그랬어요. 이런 이상…한 제 감…감정을 누…누가 이…해할 수 있겠어요."

"이해합니다. 얼마나 힘들지. 승아 씨 마음에 약이라도 발라주고 싶네요."

"아무도 이…해하지 못…할 줄 알…알았는데…"

승아는 이해한다는 말에 울컥했다.

"일리미네잇 시술 후 아픈 기억을 잊게 되면 가까운 사람과 마음을 나눌 수 있을 겁니다. 공감하고 위로받으며 사는 삶은 행복할 것입니다."

"네."

"일리미네잇의 목적은 아픔을 지우는 겁니다. 그래야 행복을 찾을 수 있습니다. 현재 승아 씨를 불행하게 하는 가장 큰 원인, 세정 씨에 대한 기억을 삭제하겠습니다."

승아는 확신이 서지 않았다. 선뜻 계약서에 사인하지 못하자, 최 원장이 물었다.

"승아 씨가 생각하는 행복이란 뭘까요?"

잠시 고민하던 승아가 답했다.

"저…저에게 행…복…은 우…월…감이었어요."

"지금은요?"

"소…소중한 사…람…과 나누는 마…마음이요."

"세정 씨에 대한 기억만 삭제되는 것입니다. 지금 승아 씨가 깨달은 행복의 정의는 기억날 겁니다. E.M 후에 세정 씨를 만나서, 두 분의 관계를 다시 만드세요."

"예…전…처럼 베…베프가 될 수 있을…까요?"

"소중한 사람과 나누는 진심이 행복인 승아 씨라면 분명 세정 씨와 진정한 우정을 쌓을 수 있을 겁니다."

최 원장의 말에 용기를 얻은 승아가 계약서에 사인했다. 준비를 마친 승아가 의자에 앉았다. 직원이 승아의 머리에 헤드셋을 씌웠다.

"이제 E.M을 진행합니다. 메타버스에 접속한 순간 최면에 걸려 세정 씨를 처음 만난 순간으로 돌아갑니다. 그 순간의 기억이 사라지면서, 세정 씨에 대한 기억이 전부 사라지게 됩니다. 자. 편하게 여기를 보세요."

승아가 최 원장의 손이 가리킨 곳을 봤다. 번쩍, 빛이 나자 곧 승아는 교실이었다.

"안녕하세요. 박승아예요. 잘 부탁드립니다."

"내가 남자였으면 바로 대시했다. 그만큼 네가 예쁘고 매력 있다는 말이야. 우리 친구 하자. 난 이세정이야."

세정이 승아를 보며 웃었다. 세정의 환한 미소가 눈부셨다.

"승아 씨."

승아가 눈을 떴다.

"네."

"기분이 어떠세요?"

"좋아요.
"지금 이곳을 나가면 당장 뭘 하고 싶으세요?"
"가족을 만나 대화 나누고 싶어요."
"이제 편하게 말이 나오는 거죠?"
"어머, 그러네요. 말이 술술 나가요."
최 원장의 옆에 서 있던 수지가 승아의 머리를 쓰다듬었다.
"고생했어, 승아야. 두 시간만 참으면 가족을 만날 수 있겠네. 회복실에서 두 시간 동안 안정 취하고 퇴원하면 돼. 언니가 시간 체크 해서 올라올게. 승찬이한테 이따 너 데리러 오라고 말했어."
"응. 고마워 언니. 감사합니다, 원장님."
"그동안 고생 많았어요. 오늘로 상담 종료합니다."
최 원장과 수지가 회복실을 나가자마자 승아는 핸드폰 단축 번호 1번을 눌렀다.
"엄마."
"승아야, 잘 끝났어?"
"응. 여기 두 시간만 있으래. 퇴원하면 바로 집으로 갈게."
"그래. 우리 다 기다리고 있어. 세정이도."
"세정이? 그게 누구야? 아무튼 이따 봐."
세정, 낯설지만 익숙한 이름이었다. 승아는 오랜만

에 사랑하는 가족과 마주 앉아 대화할 생각에 설렜다.

9. 정후(E.E & E.M)

민주는 둘째 정후 때문에 걱정이 많았다. 학교에서 연락받은 게 벌써 몇 번째인지 모르겠다. 핸드폰 벨만 울려도 가슴이 철렁했다. 수업 시간에 선생님 말씀을 자꾸 끊고 수업을 방해해서 주의 줬더니 가운뎃손가락을 올렸다는 이야기, 점심시간에 더 먹고 싶은 반찬 리필을 안 해주자 영양사 선생님에게 욕설했다는 이야기, 같은 반 친구의 물건을 고의로 망가뜨렸다는 이야기까지, 기사나 포털사이트 '판'에나 등장할 만한 이야기가 모두 정후의 이야기였다. 안 그러던 애가 4학년이 되더니 벌써 사춘기가 온 걸까. 사춘기 호르몬이 나오기 시작하면 애가 갑작스럽게 변해서 엄마가 힘들어진다고는 들었지만, 단순히 호르몬 때문이라고 하기에는 큰 변화였다.

이렇게까지 변한 이유를 아무리 생각해도 알 수가 없었다. 큰 애는 이런 적이 없었는데 정후는 대체 왜 이러는 건지. 공부 스트레스는 이유가 아닐 것이다. 대한민국의 많은 학생이 과열된 부모의 교육열로 어릴 때부터 스트레스를 받는다지만, 민주는 그렇게까지 공부시키지 않았다. 공부는 지가 때가 돼서 원하면 해야지, 부모가 억지로 시킨다고 되는 게 아니라는 생각이었다. 공부에 별 관심 없는 정후를 억지로 학원에 보내지 않았고, 공부하라고 재촉하지도 않았다. 애정 결핍일까 고민해 봤지만, 정후에게 과잉 사랑을 줬으면 줬지, 결핍은 아닐 것이다.

정후에게 물어봐도 속 시원히 답하지 않았다.

"대체 왜 그래 정후야. 뭐 힘든 거 있어?"

"없어."

"그러면 무슨 고민 있어? 엄마한테 말해 봐."

"누나 말대로 사춘기인가 보지. 나 좀 내버려 둬."

"어떻게 그래. 우리 정후가 힘들어 보이는데."

괴롭고 힘든 일이 있는데 솔직하게 털어놓지 못하는 듯했다. 애들 아빠, 승훈은 내버려 두라고 했다. 열한 살이 괴롭고 힘든 일이 있을 게 뭐가 있겠냐며, 무관심이 답일 수도 있다고 했다. 하지만 엄마의 촉은 정확하다. 무슨 일이 있는 게 분명했다.

애들 키운다고 직장도 관두고 경단녀를 자처해가며 육아에 전념했는데…… 애가 갑자기 이렇게 변하니 지난 세월이 허무하게 느껴졌다. 민주는 그동안 주변에 휘둘리지 않고 소신껏 두 아이를 키웠다고 자부한다. 공부가 아닌 두 아이의 행복이 가장 중요하다는 생각으로 건강하고 밝게, 사랑으로 충만하게 키워왔다. 실제로 두 아이를 맡았던 선생님마다 아이가 사랑받고 자라서 그런지 단단하고 자존감이 높다고 했다. 그랬는데… 어디서부터 잘못된 걸까. 언제부터 정후가 힘들었던 걸까. 정후가 이렇게 되기까지 왜 눈치채지 못했을까. 지난겨울까지만 해도 밝고 착한 정후였는데. 민주는 자꾸만 눈물이 났다. 정후의 변화는 엄마인 자신의 탓인 것만 같았다.

집에 들어온 첫째 정연이 다녀왔다고 인사를 하는데도 민주는 묵묵부답이었다. 적막한 거실에 민주의 흐느낌만 새어 나왔다. 가방도 내려놓지 못한 정연이 민주에게 달려갔다.

"엄마. 괜찮아?"

"속상해 죽겠어. 정후 대체 왜 저러는 거야. 학교에서 전화 받은 게 여섯 번도 넘어. 정후가 원래 얼마나 밝고 귀엽니. 학교에서 말썽부리는 애도 아니었잖아. 요새 밥도 잘 안 먹고… 여름부터 저렇게 변했어. 그때부터 무슨 일이 있는 게 분명해."

정연에게 잘 다녀왔냐는 말도 없이, 흐느끼는 와중에 속사포처럼 정후에 대한 걱정을 쏟아냈다. 정연이 차분하게 민주의 손을 감싸며 말했다.

"사춘기가 좀 빨리 왔나 봐. 요샌 4학년 때부터 오는 애들도 많다더라고. 너무 걱정하지 마. 곧 괜찮아질 거야."

"넌 안 그랬잖아. 분명 무슨 일이 있는 것 같은데…… 힘든 게 있으면 말을 해주지. 그래야 엄마가 해결해줄 텐데, 말도 안 하고 걱정돼."

정연이 민주의 눈물을 닦으며 말했다.

"사춘기가 원래 질풍노도의 시기라잖아. 내가 잘 이야기할게. 그러니까 너무 신경 쓰지 마."

"그래. 네가 좀 잘 이야기해 봐."

"응. 엄마가 이렇게 마음 아파하면 내가 속상해. 그러니까 너무 힘들어하지 마. 알겠지?"

"그래. 고마워. 내가 네 덕분에 산다."

이럴 때는 모녀 사이가 뒤바뀐 것 같았다. 정연은 언제나 이렇게 어른스럽고 다정한 딸이었다. 민주를 살피다가, 민주가 속상해할 때마다 위로했다. 어릴 때부터 시키지 않은 집안일을 도왔다. 엄마가 힘들까, 그게 걱정인 아이였다. 매일 밤 엄마 힘들었지? 하며 민주의 팔과 다리를 주물렀다. 공부도 알아서 했다. 왜 이렇게 공부를 열심히 하냐고 물으면, 엄마 기쁘게 해주기 위해서라고 하는 아이였다. 일곱 살 차이 나는 동생 정후를 잘 챙기고 아꼈다. 내 딸이지만 어쩜 이렇게 사랑이 넘칠까, 민주는 정연을 볼 때면 이런 생각을 했다.

주말 아침, 민주는 눈 뜨자마자 정후의 방으로 들어갔다.

"정후야."

정후는 답이 없었다. 몸을 웅크린 채 벽만 보고 있는 정후를 보자, 마음이 아팠다. 눈물이 차올랐지만, 얼른 닦아버리고는 밝은 목소리로 말했다.

"정후야. 우리 놀러 가자. 정후가 에버랜드 가고 싶다고 했잖아. 기분전환하고 오자. 엄마가 사파리 스페셜 투어 예약해 놨어."

"됐어."

"그러지 말고 엄마랑 재미있는 시간 보내고 오자. 아빠랑 누나도 같이 갈까?"

"됐다니까. 제발 내버려 둬."

정후가 신경질을 냈다.

"혼자 있고 싶을 때는 그냥 존중해 줍시다."

승훈이 민주를 말렸다.

"정후 기분 풀어주고 대화도 좀 나누고 싶어서 그러지."

"알아요. 그런데 정후는 지금 혼자 있고 싶다고 하잖아. 남자는 동굴 속으로 들어가고 싶을 때가 있어. 당신도 알잖아. 나 가끔 동굴 속으로 들어가면, 그냥 두잖아. 그렇게 해 정후한테도."

"엄마인데 어떻게 그래. 어디 힘든 데는 없는지 걱정돼 죽겠는데. 몇 달 동안 잘 먹지도 못해서 살도 빠지고. 무슨 일이 있는 게 분명하단 말이야."

민주는 결국 울음을 터뜨렸다. 정후 생각만 하면 수시로 울음이 터지고 말았다. 정연은 아빠와 나가서 바람 좀 쐬고 오라고, 엄마보다는 누나가 더 편할 거라며, 잘 달래서 정후와 대화를 좀 해보겠다고 했다. 지나친 엄마의 관심에 아이가 더 반항할 수 있다는 말을 어디선가 들은 기억이 난 민주는 승훈의 말대로 동굴에서 나올 때까지 기다려 줘야겠다고 생각했다.

"바람 좀 쐬고 올게. 정후랑 잘 이야기해 봐."

"걱정하지 말고 다녀와 엄마."

준비를 마친 민주가 승훈과 함께 집을 나섰다. 주차장에서부터 아파트 단지 밖으로 차가 빠져나갈 때까지 창밖을 내다보던 정연이 현관문 안전 고리를 걸었다. 도어록 비밀번호를 눌러도, 안전 고리에 걸려 문이 열리지 않도록 말이다.

*

안전 고리 거는 소리에 정훈의 심장이 빠르게 뛰기 시작했다. 정훈은 이불을 뒤집어쓰고 잠든 척했다.

"야. 일어나."

정연이 우악스럽게 이불을 걷어버리고는, 정후의 볼에 뽀뽀했다.

"우에엑."

정후는 구역질이 났지만, 며칠 동안 제대로 먹은 게 없어서 그런지 신물만 넘어왔다.

"야. 뭐야. 누나가 동생 볼에 뽀뽀할 수도 있지 오버냐?"

목구멍을 타고 입으로 넘어온 신물을 뱉어내기 두려워 그대로 삼켜 버렸다. 정연이 정후 가까이 앉았다. 정연의 손이 정후의 뱃가죽에 닿기도 전에 정후의 몸이 떨리기 시작했다. 이 떨림은 이제 무조건 반사처럼 정연이 가까이 오면 나타났다. 정후의 예상대로 정연의 손이 배에 닿자 통증이 느껴졌다. 정연은 몇 분간 있는 힘을 다해 정후의 배를 비틀어대다가 손을 뗐다.

"너 내가 자연스럽게 하라고 했지. 왜 오버해?"

정후는 말이 없었다.

"대답 안 해?"

정연이 다시 정후의 옆구리에 손을 가져다 댔다.

"으아악. 알겠어. 잘못했어."

"네가 너무 과하게 행동하니까, 엄마가 너 무슨 일 있는지 계속 의심하잖아. 자연스럽게 하라고 그렇게 강조했는데.”

“미안해 누나.”

“내가 말했잖아. 난 네 누나 아니라고. 난 남의 자식이라잖아. 그런데 내가 왜 누나야?”

“미안해.”

“입양한 거 숨기려고 돌도 안 됐을 때 데려왔으면 조심했어야지. 입에 담지 말았거나, 내가 잠들었는지 제대로 확인했어야지. 왜 둘이 속닥거려. 뭐? 돌도 안 된 핏덩이 품에 안은 순간 사랑을 느꼈다고? 정연이는 가슴으로 낳은 친자식이라고?”

정연은 감정이 주체가 안 되는지 울분을 쏟아냈다.

“자기 몸에서 열 달 동안 품고 있다가 낳아야 친자식이지. 무슨 가슴으로 낳았는데 친자식이래. 말도 안 되는 소리 하고 있어 진짜. 엄마는 가끔 천사인 척 가식을 떨어. 그게 짜증 나기는 하지만, 그래도 난 엄마 사랑해. 뭐, 친엄마는 아니지만 엄마니까.”

정연은 혼잣말하는 건지, 정후에게 하는 건지 쉬지 않고 중얼거렸다. 정후는 무서워서 자꾸 눈물이 났지만, 울면 가만두지 않겠다고 했던 정연의 말을 되뇌며 재빨리 눈물을 닦았다. 숨을 참으며 울음을 삼켰다. 두려움에 몸이 긴장되고 경직되더니, 눈이 충혈되었다. 빨개진 정후의 눈을 본 정연이 짜증을 냈다.

“실핏줄까지 터질 일이야? 아 진짜. 너는 왜 이렇게 매사에 오버야? 짜증 나게.”

“미안해.”

“다시 한번 당부할게. 자연스럽게 미친 행동을 하라고. 응? 아무 일 없는데 너는 그냥 사춘기라서 이상해진 거야. 계속 반항하고 이상하게 행동해서 엄마랑 아빠한테 미움을 사라고. 알겠어?”

“응.”

“오버하지 말고, 자연스럽게. 응?”

정후가 고개를 끄덕였다.

“엄마가 너한테 무슨 일 있냐고 물어보면 확실하게 말해. 아무 일도 없다고. 알겠어?”

정후가 열심히 고개를 끄덕였다.

“내가 시켰다고 말하면 엄마랑 아빠가 얼마나 상심하겠어. 안 그래? 너도 부모님 생각 많이 하잖아. 그렇지?”

“응.”

“너는 그냥 쭉 이렇게 반항하고 못된 짓만 해. 내가 부모님 위로하고 잘할게. 부모님 행복하게 내가 더 노력하면 돼. 내가 친딸은 아니지만, 부모님 사랑받을 자격은 있어. 부모님이 그동안 나 보면서 얼마나 행복해했어. 착하고, 성실하고, 공부도 잘하고. 얼마나 자랑스러운 딸이냐. 나는 스카이가 목표야. 딸이 스카이 가면 부모님이 또 얼마나 행복하겠니, 응? 내가 공부에만 전념하게 말 좀 잘 들어."

정후는 숨 쉬는 게 잘 안돼서, 숨을 크게 들이켰다가 내쉬어 봤다. 다행히 정연은 정후의 큰 숨소리를 듣지 못하고 열심히 떠들어대는 중이었다.

"너는 착하고 밝기는 해. 귀여운데 너무 철이 없어. 열한 살이나 됐는데 여전히 철딱서니가 없잖아. 부모님은 내가 어릴 때부터 속이 깊고 어른스럽다고 기특해했어. 너는 이렇게 철이 없어서 앞으로 뭐가 되겠어. 애초에 넌 싹이 글렀으니까, 너는 쭉 속 썩이는 불효자 콘셉트로 가라고. 그래야 내가 조금만 잘해도 크게 감동하지. 이게 다 부모님 행복을 위해서 그러는 거야. 알겠어?"

정후는 대답할 수 없었다. 숨이 막혀서 말이 나가지 않았다. 숨을 쉴 수가 없어서 발버둥 쳤다.

시끄러운 말소리, 앓는 소리, 알 수 없는 기계음이 들렸다. 정후는 눈을 뜰 수 없었다. 누나가 보고 있을까 봐 두려웠다.

"검사 결과 큰 문제는 없습니다. 영양실조에요. 잘

못 먹었나요?"

"아. 네."

엄마의 목소리가 들렸다. 병원인듯했다. 눈을 뜨려다가 다시 눈꺼풀에 힘을 줬다. 누나가 있을지도 모르니까. 누나가 있으면, 엄마 몰래 배를 꼬집으며 왜 쓰러졌냐고 할 테니까.

"그리고 여기 보시면……"

갑자기 누군가 정후의 상의를 열어 배를 드러냈다. 정후는 당황했지만, 누나가 보고 있을까 봐 무서워서 눈을 뜰 수 없었다. 정후의 배를 본 민주가 비명을 질렀다.

"이게 무슨 일이래요? 배가 왜 이래요?"

"누군가 가해해 온 것 같습니다."

"가해라고요?"

민주가 정후의 배를 어루만지며 울부짖었다.

"정후야. 우리 정후. 이게 무슨 일이야."

정후가 조심스레 눈을 떴다.

"엄마."

"정후야. 괜찮아? 어떻게 된 거야. 누가 우리 정후 이렇게 아프게 한 거야."

정후는 엄마에게 솔직하게 털어놓을 수 없었다. 엄마가 사랑하는 누나가 동생을 괴롭혔다고 하면 속상할 테니까. 울지 말라고 말해주고 싶었는데 무슨 말을 해야 할지 머릿속이 어지러웠다.

"정후야. 엄마 말 잘 들어. 어려운 일이 있으면 엄마한테 이야기해 줘야 해. 엄마가 사십 년 넘게 살아보니까 결국 온 힘을 다해 내 어려움을 해결해주려고 하는 건 부모님이더라고. 엄마 말 이해해?"

정후가 민주의 말에 고개를 끄덕였다.

"정후야. 안심해. 엄마한테 솔직하게 다 이야기해주면, 엄마는 목숨 걸고 정후 어려움 해결할 거야. 정후가 제일 소중하니까. 정후가 행복해야 엄마가 행복하니까."

망설이던 정후가 민주의 설득에 용기를 냈다.

"사실은 누나가……"

"정연이? 누나가 왜?"

"누나가 내 친누나가 아니라고……"

"뭐라고?"

"엄마랑 아빠가 하는 말 들었대."

"그래서. 어떻게 된 거야?"

"누나가 나보고 못된 아들 하래. 나쁜 짓 하는 미운 아들 하라고 그랬어."

"미운 아들?"

"응. 엄마랑 아빠는 누나가 행복하게 해준다고."

"여기 상처 난 거, 멍든 거. 이것도 누나가 그런 거야?"

정후가 흐느끼기 시작했다.

"엄마. 나 너무 무서웠어."

반년 가까이 정후 마음에 쌓여있던 공포와 불안이 비명 같은 울음으로 터져 나왔다.

"정후야. 괜찮아. 우리 정후 얼마나 무서웠을까. 미안해 정후야. 엄마가 몰라서 미안해."

민주가 정후를 품에 끌어안고 오열했다. 민주의 품에 안긴 정후는 긴장이 풀렸는지 경련을 일으켰다. 온몸을 떨던 정후가 정신을 잃었다.

*

민주는 아침부터 바빴다. 분리불안장애가 생긴 아이를 준비시키고 민주까지 외출 준비하는 건 매번 쉬운 일이 아니었다. 정후는 민주와 떨어지기 힘들어했다. 민주가 눈에서 보이지 않으면 울었다.

정후가 돌도 되기 전인 어린 아가였을 때, 민주는 화장실도 제대로 가지 못했었다. 참고 참다가 싸기 직전에 화장실로 뛰어 들어가면서도 문을 닫을 수 없었다. 민주가 시야에서 사라지면 정후가 울었기 때문이다. 화장실 문을 열어놓은 채 변기에 앉아 볼일을 보면서도 정후를 달랬다.

"정후야. 엄마 여기 있네. 까꿍."

그때처럼 민주는 정후를 달랬다. 학생이라면 등교해야 할 시간이었지만, 휴학한 정후는 학교가 아닌 초이스 심리상담센터에 가기 위해 나갈 준비를 했다. 정후는 지난 6개월 동안 초이스 심리상담센터에 다니며 상담받았다. 둘째끼리 친해서 엄마끼리도 친구가 된 선아가 민주에게 소개해서 알게 된 곳이다.

정후는 여전히 일상생활을 하기에는 어려움이 있었지만, 그래도 상담받으면서 많이 좋아졌다.

오늘은 정후가 일리미네잇을 받는 날이다. 상반기 마지막 일리미네잇 대상자로 확정되었다는 연락을 받고 얼마나 안심했는지 모르겠다.

민주와 정후를 태운 승훈이 천천히 차를 몰아 선릉역으로 갔다. 경사진 길을 지나 작은 골목 앞에 차를 세웠다.

"주차장이 없지?"

"응. 내가 정후 데리고 갈 테니까 당신은 근처에 어디 들어가 있어요."

"그래. 정후 끝나면 연락해 줘. 우리 정후 잘하고 와."

정후는 불안한지 답이 없었다.

민주가 정후의 손을 꼭 잡고 건물 3층으로 올라갔다.

"안녕하세요, 초이스 심리상담센터입니다."

수지가 다가와 인사를 건넸다.

"정후야, 안녕?"

수지가 정후의 머리를 쓰다듬자 정후가 몸을 떨기 시작했다.

"괜찮아 정후야. 우리 정후 예쁘다고 인사해 주신 거야."

민주가 정후를 안심시켰다. 수지가 로비에 있는 소파로 두 사람을 안내했다. 한동안 떨리던 정후의 몸이 평온해졌다.

"우리 애가 불안이 커서. 미안해요."

"괜찮습니다. 이제 올라가도 될까요?"

수지의 물음에 정후가 고개를 끄덕였다. 두 사람이 수지의 안내를 받아 5층으로 올라갔다. 수지가 노크하고 문을 열자, 최 원장이 자리에서 일어났다.

"안녕하세요. 이쪽으로 와서 앉아 주십시오."

민주가 정후의 손을 잡고 최 원장이 안내한 자리로 가서 앉았다.

"원래는 정후와 둘이 이야기 나눠야 하지만, 모든 과정을 보호자인 어머니와 함께하도록 하겠습니다."

"배려해 주셔서 감사합니다."

"배려라니요. 당연한 일입니다. 정후의 안정과 행복을 위한 과정이니까요."

"우리 정후가 다시 행복을 느낄 수 있을까요?"

"물론입니다. 일리미네잇에는 두 가지가 있다는 설명을 들으셨죠?"

"네. 안내받고 왔어요."

"감정, 기억. 둘 중에 무엇을 지울지 고민해 보셨습니까?"

"잘 모르겠어요. 정후가 가진 불안이나 공포도 크고, 누나에 대한 기억도 정후를 힘들게 하니까. 뭐가 맞는지 모르겠어요."

"저도 고민이 많았습니다."

최 원장이 조심스레 정후에게 눈을 맞췄다.

"정후야. 선생님은 정후를 도와줄 수 있는 사람이야. 불안해하지 말고 선생님 눈 봐줄 수 있겠어?"

정후가 고개를 끄덕였다.

"엄마랑 떨어지지 않아도 되니까 안심해. 선생님은 정후가 힘든 걸 고쳐줄 거야. 선생님이 묻는 말에 답해줄 수 있겠어? 어려운 건 아니야."

이번에도 정후가 고개를 끄덕였다.

"정후에게 행복은 뭘까?"

정후가 당황한 표정으로 고개를 숙였다. 행복이라는 건, 아직 정후에게 어려운 것이었을까.

"정후야. 괜찮아. 생각나면 천천히 말해줘. 힘들면 대답 안 해도 돼."

민주가 정후를 달랬다. 잠시 고민하던 정후가 고개를 들고 말했다.

"엄마가 행복한 거요."

"엄마의 행복이 정후의 행복이구나. 엄마는 정후가 있어서 행복하다고 하셨어. 그렇죠, 정후 어머니?"

"그럼요. 엄마는 정후가 이렇게 건강하게 엄마 곁에 있어서 행복해."

"정후야. 엄마는 행복하셔. 확실해. 그러니까 정후도 행복하면 되는 거야. 불안할 필요 없어."

정후가 고개를 끄덕였다.

"정후가 온전히 행복할 수 있도록 선생님이 일리미네잇이라는 걸 진행할 거야. 해도 될까? 괜찮다면 정후가 '안정후' 라고 쓰인 글자 옆에 사인해 주면 돼. 그냥 이름을 써도 돼."

정후가 최 원장의 말대로 자신의 이름 옆에 정후라고 적었다. 민주도 자신의 이름 옆에 사인했다.

"정후는 기억과 감정을 모두 삭제할 것입니다. E.E와 E.M을 다 진행하게 됩니다."

“괜찮을까요?”

“걱정 안 하셔도 됩니다. 우선 누나가 학대해 온 기억을 삭제하고 감정을 지우도록 하겠습니다.”

정후가 준비를 마치고 베드에 누웠다.

“자. 여기 선생님 손 봐줘 정후야.”

불빛을 본 정후는 그대로 잠들었다.

“정후야. 우리 아가 엄마 여기에 있어요. 까꿍.”

정후가 보행기에 앉아 화장실 안에 있는 민주를 향해 웃었다.

“정후야. 엄마 말 들려?”

민주의 목소리에 정후가 눈을 떴다.

“엄마. 나 안 죽은 거지?”

“응. 죽긴 왜 죽어.”

“휴. 난 또.”

대체로 무표정했던 최 원장이 웃었다.

“정후야. 기분이 어때?”

“좋아요.”

입원해 있는 일주일 동안 정후는 승훈과 지내기로 했다. 미성년자는 보호자가 입원실에 동행할 수 있었다.

“정말 아빠랑 있어도 되는 거지?”

민주의 질문에 정후가 까불대며 말했다.

“응. 나 열한 살이야. 혼자 있어도 돼.”

“우리 아들. 사랑해.”

“나도 사랑해. 그러니까 게임 현질해 줘 엄마. 삼천 원이면 돼.”

현질 타령하는 걸 보니, 이제 진짜 괜찮아진 모양이다.

정후가 입원실로 가자, 최 원장이 민주를 상담실로 안내했다. 민주가 불안한 표정으로 물었다.

“혹시 뭐가 잘못된 건가요?”

“아닙니다. E.M 그리고 E.E 다 잘 되었고, 일주일 동안 입원해서 안정을 취하면 됩니다. 이제 정후 걱정은 안 하셔도 되는데, 정후 어머니가 괜찮으실지. 정연이도 많이 사랑하시니까요. 충격이 크셨을 거라서……”

“뉴스 사회면에서나 보던 가정폭력이니, 가스라이팅이니 하는 일이 우리 가족 일이라니. 아직도 실감이 안 나요. 이런 엄청난 일이 있었다는 게. 우선은 정후를 안정시켜야 했고, 정연이를 찾아야 했으니까 제가 받은 상처나 충격은 신경 쓸 겨를이 없었어요.”

민주가 최 원장에게 처음으로 자신의 심정을 털어놓았다.

"네. 그러셨을 겁니다. 무너지지 않으려고 기를 쓰고 버텨오신 겁니다. 두 아이를 위해서."

최 원장의 공감에 민주는 위로받기 시작했고, 더 솔직해지고 싶어졌다.

"솔직히 이런 끔찍한 일이 우리 가족한테 일어났다는 게 제일 괴로웠어요. 왜 하필 우리 가족한테…… 이런 이야기를 누구한테 하겠어요. 아무한테도 말할 수 없었어요. 그래서 애들 핑계 대면서 외면해왔어요."

"정후 어머니, 민주 님 마음 이해합니다. 평범하지 않은, 자극적인 영화 같은 일이라고 생각하시겠지만, 생각보다 이런 일들이 많이 일어나고 있습니다. 겉으로 드러나지 않을 뿐입니다. 어찌 보면, 평범하지 않은 일이 아닐 수도 있습니다. 부디 너무 괴로워하지 않으시기를 바랍니다."

"빨리 정연이를 찾을게요. 같이 상담받으러 올게요."

민주와 승훈이 모든 걸 알게 되자 정연은 가출했다. 쪽지 한 장 없이 집을 나간 정연의 핸드폰은 전원이 꺼져있었다. 사람을 잘 찾는다는 흥신소 몇 군데에 부탁했는데도 행방을 알 수 없었다. 승훈은 실종신고를 하자고 했지만, 그러면 일이 커질 것이고 입양에서부터 가정폭력까지 사회적으로 이슈가 될 가능성이 있었다. 민주는 개인사가 알려지는 건 원치 않았다. 무엇보다 정연을 위해서였다. 큰 잘못을 저질렀지만, 사랑하는 딸을 제대로 혼내고, 그 후에는 사랑으로 감쌀 생각이었다. 그러기 위해서는 조용히 정연을 찾아야 했다.

정연은 이런 민주의 마음을 모르는 모양이다. 동생을 학대하고 가스라이팅 했다고 파양시키기라도 할 줄 알았을까. 진심으로 사랑하고 아낀 딸에게 그 정도밖에 마음이 전해지지 않았다니, 빨리 찾아서 더 사랑해주고 싶었다. 딸 정연이가 어디서든 무사히, 건강히 지내고 있기를 기도했다.

민주를 태운 택시가 출발했다. 새로운 흥신소에 가볼 생각이다.

10. 벗, 꽃, 나무

수지가 선릉역 1번 출구를 급하게 빠져나갔다. 월요일, 주간 회의가 있는 날이었다. 여섯 시부터 십분 간격으로 설정해 놓은 알람이 처음 울렸을 때 바로 일어났으면 이렇게 급할 일은 없었을 텐데. 월요일 출근길마다 후회했지만, 매번 몸은 말을 듣지 않았다. 평소보다 한 시간이나 일찍 출근하는 건 언제쯤 적응될까?

"늦겠다!"

빠른 걸음으로 언덕길을 오르다 보니 이마에 땀이 맺혔다. 서둘러 좁은 골목 안으로 들어서자 은은한 커피 향이 수지를 달랬다. 괜찮다고, 다 왔으니 이제 안심하라고 하는 것 같았다. 1층 '벗, 꽃, 나무' 카페 안에 은호가 커피를 내리고 있는 게 보였지만, 왜 오늘은 이렇게 일찍부터 나와 있냐고 묻지 못했다. 은호에게 말을 걸었다가는 회의에 늦고 말 것이다.

오늘은 십오 분 만에 회의가 마무리되었다. 6월 마지막 주 월요일인 다음 주 주간 회의 날에는 상반기 일리미네잇 결과 보고가 이루어질 예정이었기에, 오늘은 특별한 전달 사항이나 보고 사항이 없어 평소보다 일찍 회의가 끝났다. 직원들이 회의실을 빠져나가자 수지가 최 원장에게 쪼르르 달려갔다. 수지가 입을 열기도 전에 최 원장이 먼저 물었다.

"오늘은 또 뭐가 궁금합니까? 이수지 씨?"

"저 원장님 팬인 거, 아시잖아요. 원장님이랑 대화하면 위로받는 날도 있고, 뭔가 배우게 되는 날도 있어서 좋거든요. 그런데 원장님이 워낙 바쁘시니까 이럴 때밖에 대화할 시간이 없네요."

수지가 민망한 듯 웃었다.

"이수지 씨가 이렇게 잘 웃게 되어 저도 좋습니다."

"원장님도 이제 저처럼 좀 잘 웃어보시죠. 무표정 말고, 어색한 미소도 말고 저처럼 자연스러운 미소요. 이렇게요, 스마일!"

수지가 손으로 자신의 입을 가리켰다.

"저는 이런 게 편합니다."

"내담자들의 웃음은 찾아주면서, 왜 정작 원장님은 잘 안 웃으세요?"

"원래 경상도 남자는 이렇습니다. 그래도 가끔 웃는데 이수지 씨는 못 보셨나 봅니다."

"그럼 로봇 같은 말투도……"

"네. 사투리가 심해서 표준말을 쓰려다 보니 이렇습니다."

"어머, 원장님 사투리 쓰세요? 전혀 몰랐어요."

"보십시오. 이렇게 말하면 아무도 눈치 못 챕니다."
"사투리 쓰면 뭐 어때요?"
"친한 친구나 가족과 대화할 때는 편하게 말합니다."
로봇처럼 딱딱한 말투와 표정이 경상도 남자였기 때문이라는 최 원장의 말에 수지는 피식 웃고 말았다.
"왜요? 무슨 사연이라도 있는 줄 알았습니까?"
"사연 있는 말투와 표정이잖아요."
"자세히 들여다보면 사연 없는 사람이 있겠습니까."
듣고 보니 최 원장의 말이 맞았다. 더 이상 질문이 없으면 원장실로 올라가겠다는 최 원장의 말에 수지가 손을 번쩍 들어 올렸다.
"질문 있어요! 그동안 수많은 내담자와 상담하고 일리미네잇을 진행하셨잖아요. 상담 종료 후에 다시 온 사람은 없었나요? 제가 근무한 2년 동안에도 재방문하는 분은 없었던 것 같은데…… 그게 좀 궁금했어요. 현재 가지고 있는 아픔이 치유되고, 불안이 해소되었다고 해도 살다 보면 또 새로운 아픔이 생길 수도 있잖아요."
"상담 종료 후에 재방문한 내담자는 지금껏 한 명도 없습니다. 일리미네잇을 포함한 상담 과정을 통해 내담자에게 영원한 행복을 찾아서 손에 쥐여주거나 품에 안겨주는 건 아닙니다. 다만, 전보다 불안이나 두려움에는 무뎌졌을 거고, 행복이라는 자연스러운 감정에는 민감해졌을 겁니다. 민감해졌다는 게 나쁜 의미가 아니라, 작거나 사소한 것에서도 행복을 느낄 줄 알게 되었다는 겁니다."

"시련이 왔을 때 덜 불안해할 만큼 단단해졌고, 소소한 행복을 느끼면서 그 힘으로 아픔을 이겨낼 수 있을 거라는 말씀이죠?"

수지가 뿌듯한 미소를 짓자, 최 원장도 미소 지었다. 이번엔 왠지 어색하지 않은 자연스러운 미소였다.

"아까 출근하다 보니까 은호가 카페에서 커피 내리고 있더라고요. 아직 오픈 시간까지 40분이나 남았으니까 저랑 커피 마시러 가요."

"그럴까요?"

두 사람이 1층 '벗, 꽃, 나무'카페로 내려갔다. 은호는 카페 청소 중이었다.

"은호! 하이!"

수지가 인사를 하자 은호는 그제야 두 사람이 카페 안에 들어왔다는 걸 알아차렸다.

"무슨 청소를 그렇게 집중해서 해?"

"잠깐 딴생각하느라…… 원장님! 왜 이렇게 오랜만에 오셨어요. 제가 커피 한잔 사드……"

수지가 은호의 말을 막았다.

"원장님 공짜 싫어하신다니까."

"아. 원장님 아이스 아메리카노, 수지는 따뜻한 카라멜 마끼야또지? 두 잔 해서 만 삼천 원입니다."

최 원장이 카드를 내밀었다. 계산을 마친 은호가 커피를 내리기 시작했다.

"오늘은 왜 이렇게 일찍 나왔어? 나는 주간 회의 때문에 그 시간에 왔지만, 너도 아까부터 나와서 커피 내리고 있더라."

"원두가 새로 들어와서. 미리 맛도 테스트해 보고 청소도 할 겸."

두 사람이 대화를 나누는 동안 최 원장은 꽃향기가 제일 잘 나는 소파 자리로 가서 앉았다. 다른 테이블 위에는 작은 꽃병이 하나씩 놓여 있었는데, 소파 앞 긴 테이블 위에는 크고 작은 꽃병이 다섯 개나 놓여 있었다. 연보라색 라벤더와 진분홍색 장미가 꽃병에 골고루 꽂혀 있었다. 수지가 최 원장의 맞은편 소파에 앉으며 코를 킁킁댔다.

"우리 집 섬유 유연제 냄새가 나요. 원장님."

"라벤더 향이 안정감을 주겠군요."

"오, 맞아요. 라벤더 향 섬유 유연제에요."

"강렬하고 자극적인 장미 향과 은은한 잉글리시 라벤더 향이 조화롭게 코끝에 닿으니 행복하네요."

최 원장이 깊게 숨을 들이켰다가 내쉬었다가 반복했다. 수지도 최 원장을 따라 했다.

특별할 것 하나 없는 아침이었지만, 최 원장 말대로 행복한 기분이 들었다. 은호가 커피를 가져와서 수지 옆자리에 앉았다. 세 사람이 마주 앉은 건 처음이었다. 말없이 꽃향기를 맡다가, 커피를 마시다가 했다. 그러다가 한 번씩 창밖을 바라봤다.

바람이 불어와 카페 앞 나무에 초록의 물보라를 일으켰다. 물결치는 햇살이 카페 안을 비췄다. 따뜻한 손길이 세 사람의 얼굴을 어루만졌다.

- 끝. -

초이스 심리상담센터

지은이 : 한수정

펴낸이 : 이제현

발행일 : 2024년 06월 19일

ISBN : 979-11-93256-26-8(03810)

펴낸곳 : 잇스토리

마케팅 : 매드플랙션

출판신고 : 제 2023-000021호

이메일 : it-story@b-camp.net

잇스토리는 영상 IP 전문 프러덕션입니다.

영화/드라마와 소설의 경계선에서 이야기를 찾아가고 있습니다.

문을 두드려 주세요. 문의와 제안은 언제나 즐겁습니다.

홈페이지 : http://itsastory.modoo.at

인스타그램 : http://instagram.com/it_story.kr

블로그 : http://blog.naver.com/it-story